of course

Editor
Alexandre Dórea Ribeiro

Coordenação Geral
Maiá Mendonça

Direção de Arte
Kiko Farkas / Máquina Estúdio

Assistente de Arte
Rodney Schunck de Godoy
Fabiano O. V. Cassettari

Coordenação Executiva
Adriana Amback

Coordenação Estúdio DBA
Fernando Moser

Textos
Nina Horta
João Carrascosa
Edu Salemi

Fotografias
Tuca Reinés
Arquivo pessoal

Ilustrações
Patrício Bisso

Produção Culinária
Cecília Salomão

Revisão de Texto
Plural Assessoria

Produção Gráfica
Estúdio DBA

Fotolito
Printhaus Fotolito e Editora Ltda.

Impressão e Acabamento
Gráfica Salesiana (4ª reimpressão)

Copyright©1996 das receitas by Charlô Whately

Os direitos dessa edição pertencem à
DBA Dórea Books and Art
al. Franca, 1185 cj. 31/32
01422-001 São Paulo SP
tel.: (11) 3062 1643
fax: (11) 3088 3361
dba@dbaeditora.com.br

Dados Internacionais de Catalogação na Publicação (CIP)
(Câmara Brasileira do Livro, SP, Brasil)

Charlô
Chalô of course / texto de João Carrascosa. Nina Horta. -- São Paulo:
DBA Artes Gráficas e : Companhia Melhoramentos de São Paulo, 1996.

ISBN 85-7234-061-D (DBA Artes Gráficas) -- ISBN 85-06-02505-2
(Companhia Melhoramentos de São Paulo)

1. Charlô 2. Culinária I. Carrascosa, João. II. Horta, Nina. III. Título.

96-2661   CDD-641.5

Índices para catálogo sistemático:
1. Receitas Culinárias : Economia doméstica   641.5

Reservados todos os direitos desta obra. Proibida
toda e qualquer reprodução desta edição por qualquer
meio ou forma, seja ela eletrônica ou mecânica, fotocópia,
gravação ou qualquer meio de reprodução,
sem permissão expressa do editor.

#
of course

Design de Kiko Farkas

Fotos de Tuca Reinés

Textos de João Carrascosa

Prefácio de Nina Horta

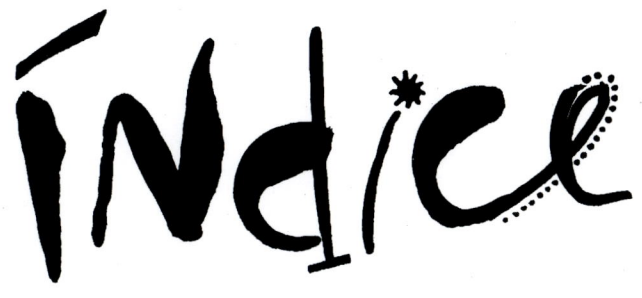

Apresentação 7

1. As velhinhas de Paris 17

2. O entregador de pizza 25

3. A abelha 37

4. O garçom 51

5. A gorda 71

6. O ajudante de cozinha 81

7. O manobrista .97

8. O motorista da Kombi 113

9. O padre 129

Índice remissivo .152

Meu amigo
Nina Horta

CHARLÔ, quem diria, foi menino de fazenda até os cinco anos. Uma de suas primeiras lembranças é a de ter comido uma cebolinha verde arrancada da horta recém-regada. O cheiro subiu-lhe ao nariz e ele nunca mais se esqueceu.

Achava ótimo brincar no cafezal, andar de carona no trator. Acompanhava a lavagem e a secagem do café espalhado no terreiro. Pulava por cima, comia o grão e ganhava do avô um centavo por saca de café derrubada e um centavo por litro de leite ordenhado. E havia laranjas, jabuticabas, macarrão feito em casa, a massa esticada na mesa cheia de farinha. Muita coisa para sedimentar as lembranças de uma infância feliz. Os piqueniques de charrete, com uma única cesta, daquelas lindíssimas, de palha, com pratos e talheres. Como os primos e irmãos eram muitos, o piquenique acontecia em etapas. Iam de quatro em quatro e a espera era uma angústia total, o medo de que chovesse ou anoitecesse antes de chegar a sua vez.

Além dos cheiros e gostos da fazenda ele se lembra do pai indo a Mato Grosso pescar e caçar. Trazia codornas e perdizes. Uma vez trouxe 116 perdizes, sabem lá o que é isso? Meses de escabeche de perdiz, perdiz cozida no leite, ao molho pardo, assada com mel e torradinhas à volta. E, como se não bastasse, era preciso comer os miúdos das galinhas e outras aves que haviam papado com tanta alegria em almoços e jantares. Eram seis irmãos, mas haja fígado, haja moela! A irmandade perdia amigos por causa das vísceras. Quem entrasse na casa tinha que se conformar com a disciplina e comer tudo. Salve-se quem puder, miúdos, não.

Na época do abacate o pai abria a fruta ao meio, punha açúcar, molhava com vinho do Porto e polvilhava com castanha-do-pará ralada. Os primos ingleses se assustaram. Abacate com açúcar? O pai não deixou por menos: à noite, salada de abacate para que as crianças aprendessem os costumes dos ingleses.

Na fazenda morava também a avó, na toca da vovó Albertina, como diziam, e de lá saíam biscoitos, doces, gostosuras que ela deixava que levassem para a eterna brincadeira de "venda", onde amealhavam uns níqueis. Estaria aí nascendo o futuro e bem-sucedido comerciante Charlô?

Quando a família se mudou para São Paulo, Charlô foi direto para o Elvira Brandão, falando à moda caipira e fazendo rir os colegas. "Sai da frente que lá vem a boiada pra riba de nóis!" A avenida 9 de Julho era o "estradão iluminado". A irmã Teiêta queria "barrer" todo o pátio do colégio. A vida no colégio parecia mais complicada que a da escolinha da fazenda. Bem mais complicada. Na hora do lanche aparecia um servente com um caldeirão de salsichas, um balaio de pão e a mostarda. O dinheiro que ele e a irmã Maribel ganhavam só dava para o pão e a mostarda, sem salsicha. Chegavam em casa chorando miséria e ninguém ligava, davam risada. O remédio era levar de casa uma maçã, pão com manteiga da fazenda e um Toddy, que às vezes talhava. Tudo que vinha da fazenda era em quantidade e tinha que ser consumido. Nem pensar em pedir um suco de laranja no clube. "Que idéia, menino! Lá em casa está assim de laranja e limão..."

A tia Nena fez um pavê e explicou direitinho para a irmã. Quando a mãe foi pegar o menino na escola, a professora estava encantada com a receita ditada por ele. Fofoqueiro, pensou a mãe. É que já ia se formando o Charlô comunicador, que sabe transmitir uma receita como ninguém, com naturalidade e simplicidade. Quanta gente, muito mais tarde, recortava da *Folha* aos domingos todas as suas matérias...

A vida de apartamento na cidade tinha alguns encantos que a roça não tinha. Por exemplo, um casal espanhol de cozinheiro e copeira, Jerônimo e Natividade. No aniversário da mãe, Jerônimo fez uma maionese em formato de relógio que marcava exatamente a hora em que aterrissara na mesa. Foi o máximo do chique para o menino Charlô.

Os pais continuavam atentos à educação gastronômica dos filhos. O passeio preferido era o Viking's. Aquela

mesa enorme de salmão, arenque, steak tartar! O restaurante Freddy's em datas muito especiais e o Chamonix quase sempre. Danna Kawa com sua harmônica cantando junto com o pai na noite esfumaçada de cigarros, fondues e lampiões. Nascia o festeiro.

Charlô foi crescendo, bom de boca. A mãe fazia cursos de culinária e ele adorava as novidades que apareciam à mesa. Massa folhada, galinha ao curry, sorvetes, bombons. É até hoje um formigão incorrigível... Tanto no seu fast food como no restaurante aparecem os bolos de nozes recheados de baba-de-moça, as tortas desabando sob as claras em neve, os merengues, os doces de ovos, desavergonhadamente doces.

Cozinhar que era bom, nada.

Entrou no Colégio Santa Cruz, estudava direitinho, mas ainda não se arriscava a transformar ingredientes. Para os fins de semana na praia, pão, presunto, salada e pronto. Uma vez saiu de férias com uma amiga portuguesa (ele tem um monte de amigas portuguesas) e ela, no caminho, comprou uma galinha crua. Crua, pois, pois? Ao chegar à praia, a menina, prática, introduziu um tablete de caldo no rabo da galinha, ou no cuzinho, como dizem os portugueses, e uma cebola pelo pescoço. Do forno saiu uma galinha como aquelas da fazenda, cheirosa e dourada. Daí em diante, tablete no rabo, cebola goela abaixo, a cozinha não era um bicho-de-sete-cabeças, afinal. Ia ficando cada vez mais curioso com respeito à comida. Na casa dos amigos destampava as panelas, comia, perguntava. Copiava sem plagiar. Todo ser criativo copia tudo e transforma no que quer.

De repente, na faculdade, viu-se às voltas com a famosa crise não-é-bem-isso-que-eu-quero. O pai e a mãe deram força e ele foi ver se descobria o que fazer em Londres, Paris e Roma. Em Londres foi ficando naquela vida de lavar prato em restaurante, dar brilho em vidraça, servir mesas.

Depois, Paris. Lá, chegou e já foi herdando um emprego do irmão José Thomaz. Cozinhava para duas senhoras, mãe e filha. Madame Cécile Valéry-Radot, de 86 anos, e Mademoiselle Nicole, de 56, diretora da *Marie Claire*.

Era bico. Ele fazia *entrecôtes*, *salades*, *pommes* e *riz* e até um pato gratinado, com molho branco. Tinha que chegar às onze em ponto, explicaram. "Pour le manteau." "Pour le manteau?" É. Mme Cécile Radot, nos seus 86 anos, tinha problemas em vestir o mantô, daqueles roxos, bem antiguinhos. O cabelo também era roxo, para combinar com o mantô. E Charlô tinha que estar lá às onze horas para ajudá-la. Bico, bico. De sobremesa, queijos, frutas e torta de maçã *paresseuse*. Maçã picada, uma farofinha fina de manteiga, açúcar por cima e forno.

As duas comiam no hall do apartamento porque os objetos de suas vidas passadas, livros, quinquilharias, louças, atulhavam a sala de jantar. Nem dava para arrumar e sobrava tempo. Charlô copiou um patê de um dos cadernos velhos de Mme Radot – um patê de *foie de volaille*. O tempo foi passando, chegavam cartas e mais cartas, os telefonemas aumentavam, a novidade de morar fora foi se desgastando, a saudade bateu e ele acabou voltando, deixando Mme Radot às voltas com seu mantô.

"O que é que você vai fazer, Charlô? A Marília Braga abriu um restaurante, por que não abre um também? Por que não vende seus patês?" Vender como? Onde? Quem haveria de comprar?

Os pais esperavam outra vez com inteligência e equilíbrio, talvez um pouco ansiosos, a decisão do filho. Foi a mãe que não resistiu e deu o empurrão final. Numa tarde paulista, muito azul, saiu para uma reunião do padre Aquino. Voltou com um pedido de três quilos de patê. As primeiras clientes: Lucinha Vidigal e Tereza Coutinho Nogueira. Correria total. Empacotaram o patê de Mme Radot nas quentinhas e saíram de Opala para a entrega.

Estava pronto o Charlô. Tão pronto que ninguém mais o segurou. Foi uma das primeiras pessoas, aqui, a perceber a comida como uma possibilidade de se divertir, de trabalhar e de criar um grande estilo. A fama de menino rico que brincava de trabalhar nunca o atrapalhou. Ao contrário. Charlô é um gênio de marketing. Se não fosse o que é, daria um ótimo publicitário. Sabe exatamente qual o gancho que vai dar notícia, nunca se engana.

Aparece nas colunas sociais como quem não quer nada, mas está é trabalhando. Vai a todas as festas e se diverte à grande... trabalhando. Viaja e capta novas tendências, trabalhando. Usa a comida e seu preparo como modo de expressão pessoal. Sua generosidade coexiste com sua habilidade inata de anfitrião. Sabe mandar, sabe comer, tem intuição para descobrir talentos no seu *métier*. Recebe com naturalidade cordial, sem ansiedades de autocrítica, com cara de que também gosta de seu bistrô, de seu *buffet*, da comida de sua casa... segredo para relaxar e relaxar também o convidado. Exerce continuamente sua boa educação. Um prato extra que manda para o amigo no restaurante, um doce que faz chegar à casa do jornalista que o elogiou, uma taça de champanhe para a artista que o prestigia... Um dia eu me sentei ao lado de Carolina Ferraz, na hora do almoço. Ela olhava sua porção generosa com olhos de modelo e gemia para a amiga. "E se o Charlô perceber que deixei um pouco no prato?"

Cada um gosta dele por um motivo ou outro. Eu tenho cá os meus, e o principal mesmo é perceber que nada no mundo é capaz de fazer do Charlô um novo-rico. Mas que alívio! Nada o torna *nouveau*.

Não é uma graça dos céus? Conviver com alguém, principalmente nesta profissão, que enxerga além do dinheiro, sem preconceitos, distraído, descobrindo o "de dentro" das pessoas... é bom.

A comida, atualmente, se distancia tanto de sua história, dos seus lugares, de seus rituais, justamente do que a faz importante. Mas não para o Charlô, para ele, não. Fico encantada com sua consciência de passado e de família, o respeito às raízes, a todos que vieram antes. Preserva memórias, parentes e nomes, sem embalsamá-los, cheio de vida nova, olhando para a frente. São os cadernos antigos da avó Antonieta e as amigas portuguesas que ditam os doces brasileiros. É a fazenda onde brincou que o faz gostar de bolo de fubá e comer com gosto a goiabada cascão que a vizinha lhe mandou. É a memória das estações, da vida em família, dos tios, dos irmãos. Não perde as referências. Renova um clã unido na grife Charlô, que é dele, mas é de todos também. Clã brasileiríssimo, e é essa brasilidade que ele repassa em competência no seu *buffet*, no restaurante e no trato fino com que cerca amigos e clientes, clientes e amigos, mais ou menos a mesma coisa.

1.

As velhinhas de Paris

– Cécile! Vi um homem de óculos na sua cozinha!

– Não se preocupe, Corinne, é o novo doméstico. Passe-me o chá, por favor.

Doméstico? Cécile tem cada idéia. Imagine! Contratar um homem para os serviços de casa. Está ficando gagá... O rapaz até que é bem-apessoado... digamos... bonitão.

– Muito distinto o seu doméstico, Cécile...

– É de uma família tradicional sul-americana, Corinne... Fazendeiros, você sabe... E muito bem-educado também...

Bem-educado coisa nenhuma, é um belo pedaço de mau caminho, isso sim! Se Cécile não fosse tão carola...

– É brasileiro.

– Oh! Um playboy brasileiro falido! Que charmand!

– Não é um playboy, Corinne. Nem falido. Parece que era operador da Bolsa de Valores em São Paulo. E largou tudo. Você sabe como são os jovens... Passe-me as bolachas, por favor.

Um aristocrata rebelde! Me lembra Yves Montand em *Let's Make Love*... Fazendo-se passar por pobre para conquistar Marilyn Monroe... Quem nosso playboy brasileiro tentará conquistar? Cécile, certamente, não... Ah, Ah, Ah...

– Também quero um playboy brasileiro em casa. Onde você o conseguiu?

No fim de 1980, criei coragem, me demiti, vendi o carro, juntei uns caraminguás e fui para Paris. Estava saturado do trabalho na Bolsa de Valores e incerto sobre o rumo a tomar. Logo que cheguei, herdei do Zé, meu irmão, um emprego chez Madame Valéry-Radot e sua filha Nicole, na Place de Méxique. O trabalho era simples, tipo preparar o almoço e deixar uma sopa pronta para o jantar. Ir ao mercado fazia parte das minhas tarefas e eu adorava ver a enorme variedade de queijos, frutas, legumes. Elas gostavam da minha comida, gostavam do pudim de macarrão e dos pratos gratinados. Nos fins de semana sempre tinha amigos para almoçar no meu microapartamento na rue Duplex. Como meu orçamento era limitado, só ia aos bons restaurantes quando algum tio ou amigo abastado passava por Paris. Aí, sim, eu tirava a barriga da miséria! Um ano depois, de volta a São Paulo, aproveitei o "espírito natalino" para começar a fazer patês.

– Ele é mesmo ótimo, mas não faz faxina nem lava a roupa.
– Oh, Cécile! Contratar como doméstico um rapaz que não lava nem faz faxina... não é nada esperto, querida!
– Sim, mas em compensação o moço tem atributos especiais, você sabe... Passe-me a manteiga, por favor.
Mas o que ela quer dizer com "atributos especiais"? O rapaz é bonitão, sim, mas... Oh! Virgem Santíssima! Não pode ser. Cécile tem 86 anos! Ela não teria coragem... ou teria? Meu Deus! Eu sempre desconfiei. Por isso Cécile parece alegre demais para sua idade... Quem diria? Devassa! E ainda posa de senhora respeitável, religiosa... É uma infâmia! Nem vou comentar nada. Não vou mesmo...
– Na sua idade, Cécile?!
– O quê?
– "Atributos especiais!" Ora, Cécile, você devia se dar o respeito!
Oh! Não! Lá vem ele. O playboy brasileiro. Vem em minha direção. E com um sorriso de lascívia. Um avental amarrado na cintura, uma fôrma de bolo na mão e aquele sorriso. Oh, meu Deus! Tremo só de pensar... Ele me serve o bolo com maneiras delicadas... Mas a mim não engana, "monsieur atributos especiais"! Desavergonhado!
– Experimente o bolo, senhora, é uma especialidade minha.
E ainda tem a audácia de me dirigir a palavra! Cínico! Aliciador de senhoras! Vou experimentar o bolo, sim. E depois me retiro sem demora deste antro. "Atributos especiais"... Pois sim! Mmmm... mas até que o bolo... Mmmm... não é nada mau... Mmmm... muito bom... Mmmm.. será que é a baunilha... Mmmm... não, talvez o... Mmmm... Mas de onde vem este gosto? Delicioso! Mmmm... Surpreendente que um playboy brasileiro possa... mas até que o moço... Mmmm... tem atributos espec... mas, espere... seriam estes os...?
– Muito distinto o seu doméstico, Cécile querida.

1. Salada de agrião e laranja

4 xícaras de agrião
4 laranjas cortadas em gomos
1 cebola em rodelas finas
24 azeitonas pretas sem caroço
azeite
vinagre
sal e pimenta-do-reino

Disponha em uma saladeira as folhas de agrião. Coloque por cima, alternando, os gomos de laranja e a cebola. Decore com os gomos restantes e as azeitonas pretas. Tempere com azeite, vinagre, sal e pimenta-do-reino.

Para 4 pessoas

2. Consomê tia Adelaide

1 kg de músculo
2 cebolas
2 cenouras
1 alho-poró (a parte branca)
2 litros de água fria

Passe todos os ingredientes no moedor de carne ou no processador de alimentos. Coloque em uma panela e cubra com a água. Leve para cozinhar. Quando ferver, abaixe o fogo e cozinhe por 20 minutos sem mexer. Retire do fogo e coe em um pano limpo.

Para 6 a 8 pessoas

3. Sopa creme de agrião

1 cebola média picada
2 colheres (sopa) de manteiga
300 g de agrião
300 g de batata em rodelas
1 litro de caldo de carne
200 ml de leite
200 ml de creme de leite fresco
salsinha ou cebolinha picada

Em uma panela, refogue a cebola na manteiga. Acrescente o agrião e a batata. Cozinhe em fogo baixo por 5 minutos. Adicione o caldo de carne e cozinhe até as batatas ficarem macias. Bata no liquidificador ou no processador de alimentos. Leve de volta à panela. Junte o leite (coloque um pouco de água, se o caldo ficar muito grosso). Coloque algumas folhas de agrião para dar colorido. Acrescente o creme de leite e cozinhe novamente sem deixar ferver. Salpique com salsinha ou cebolinha. Sirva bem quente.

Para 6 a 8 pessoas

Esta sopa era conhecida na França como *potage de santé* (sopa da saúde), provavelmente pelas características fortificantes do agrião.

4. Boeuf bourguignon

1 kg de músculo em cubos
1 cebola em rodelas grossas
3 cenouras em rodelas
1 litro de vinho tinto
1 maço de cheiro-verde
1 colher (chá) de tomilho
1 folha de louro
1 colher (chá) de pimenta-do-reino em grãos

1 colher (sopa) de manteiga
1 colher (sopa) de óleo
200 g de toicinho defumado em quadrados
500 g de cebola miúda
3 dentes de alho espremidos
2 colheres (sopa) de farinha de trigo
1 colher (chá) de sal
500 g de cogumelos frescos

Junte em uma tigela a carne, a cebola, a cenoura, 1 xícara de vinho tinto, o cheiro-verde, o tomilho, o louro e a pimenta-do-reino. Deixe marinar por 4 horas. Coloque em uma panela a manteiga e o óleo. Frite o toicinho e as cebolas miúdas. Retire-os. Nessa mesma gordura, frite a carne e o alho. Quando estiverem crocantes, junte a farinha de trigo, a marinada e o restante do vinho. Tempere com sal. Cozinhe em fogo baixo por 3 horas. Retire as cenouras da panela e bata no liquidificador com água. Devolva o purê de cenoura à panela. Acrescente os cogumelos. Deixe ferver em fogo baixo por 10 minutos. Junte as cebolinhas miúdas e o toicinho e deixe ferver por mais 10 minutos. Sirva com arroz ou batatas cozidas.

Para 5 pessoas

5. Pudim de macarrão

250 g de massa fresca (tipo talharim)
4 gemas
2 xícaras de molho béchamel
6 colheres (sopa) de queijo parmesão ralado
4 claras
molho de tomate

Cozinhe a massa e corte-a em pedaços pequenos. Reserve. Junte as gemas ao molho béchamel frio. Acrescente o queijo ralado, o talharim e as claras batidas em neve. Misture. Coloque o pudim em uma fôrma própria, de 20 cm de diâmetro, untada e polvilhada com farinha de trigo. Leve ao forno médio (180ºC), preaquecido, para assar em banho-maria de água fervente por 20 minutos ou até que, enfiando um palito, ele saia limpo. Retire do fogo. Cubra com molho de tomate. Se desejar pode servir acompanhado de minialmôndegas.

Para 4 a 6 pessoas

6. Macarrão em rodelas

500 g de macarrão cabelo-de-anjo
1 litro de leite
1 cebola picada
2 tomates sem peles e sem sementes picados
sal
200 g de presunto picado
4 colheres (sopa) de queijo parmesão ralado
500 ml de creme de leite

Cozinhe o macarrão no leite com a cebola, o tomate e o sal em fogo baixo até formar um creme grosso. Coloque em uma assadeira untada e deixe esfriar. Leve à geladeira por 1 hora. Com a ajuda de um copo, corte rodelas da massa e disponha em uma travessa refratária. Salpique com o presunto e o queijo parmesão e cubra com o creme de leite. Leve ao forno médio (180ºC), preaquecido, por 15 a 20 minutos.

Para 6 pessoas

7. Panquecas de camembert

Para a panqueca
2 xícaras de leite
2 xícaras de farinha de trigo
2 ovos
1/2 colher (chá) de sal
manteiga

Para o recheio
2 xícaras de molho béchamel quente
400 g de camembert picado
creme de leite
queijo parmesão ralado

Prepare a panqueca: misture todos os ingredientes sem bater. Se empelotar, passe por uma peneira. Deixe descansar por 1 hora. Frite as panquecas na manteiga.

Prepare o recheio: retire o molho béchamel do fogo e misture o camembert. Deixe esfriar e recheie as panquecas. Arrume em um prato refratário, cubra com creme de leite e polvilhe com queijo parmesão. Leve ao forno quente (200ºC) por 12 a 15 minutos.

Rendimento: 20 panquecas

8. Torta preguiçosa

4 maçãs picadas
canela em pó
150 g de passas aferventadas e escorridas
1 1/2 xícara de farinha de trigo
1 xícara de açúcar
1 colher (chá) de fermento
125 g de manteiga derretida
4 ovos batidos

Distribua a maçã em um prato refratário. Polvilhe com canela em pó e acrescente as passas. Cubra com os ingredientes secos peneirados. Coloque colheiradas de manteiga. Faça furos com um garfo e junte os ovos. Leve ao forno quente (220ºC), preaquecido, por 20 minutos. Sirva quente ou fria com creme chantilly.

Para 6 a 8 pessoas

Sugestão: pode-se também fazer a torta preguiçosa com abacaxi no lugar da maçã.

9. Bolo de maçã

4 xícaras de maçã ralada
1 xícara de passas
1 xícara de nozes
2 xícaras de açúcar
2 ovos
1/2 xícara de óleo
2 colheres (chá) de bicarbonato de sódio
2 colheres (chá) de essência de baunilha
2 colheres (chá) de canela
1 pitada de sal
2 xícaras de farinha de trigo

Misture todos os ingredientes (menos a farinha) sem bater. Por último, junte a farinha e misture. Distribua em uma fôrma de pudim de 22 cm de diâmetro untada. Leve ao forno médio (180ºC), preaquecido, por aproximadamente 35 minutos ou até que, enfiando um palito, ele saia limpo.

Para 10 a 12 pessoas

2.
O entregador de pizza

Peixoto Gomide com alameda Franca... No alto da ladeira! Oito pizzas no mesmo prédio. O que estará acontecendo? Nunca pediram pizza nesse prédio. E agora, de repente, oito. E eu carregando...

As pessoas pensam que entregador de pizza é trator. Pedem pizza todos ao mesmo tempo e no mesmo endereço. E entre a pizzaria e o endereço sempre tem uma grande ladeira... E eu carregando...

Aqui está. Chegamos. Eu e as pizzas. Oito! Será que as empregadas desse prédio estão em greve? Subo ao primeiro andar. Apartamento 12. Campainha.... A empregada abre a porta – não está em greve. De rabo de olho vejo a cozinha superlotada. Toneladas de embalagens com rótulos iguais ocupando cada canto. No meio da bagunça, um sujeito de óculos corre de lá para cá. Pela fresta da porta vejo-o passar, carregando os tais pacotes... Não é pra menos que pediram pizza, com a cozinha assim lotada não há quem possa cozinhar...

Segundo andar. Apartamento 21. Campainha...Desta vez é a madame quem vem atender. Com uma expressão assustada no rosto. Por trás dela, muita agitação. Vários pacotes amontoados. Iguais aos do apartamento de baixo. Não tenho certeza, mas acho que também vi um sujeito de óculos, parecido com o de baixo...

Terceiro andar. Apartamento 32. Campainha... A empregada abre a porta, esbaforida.

Agarra a pizza com uma das mãos. Na outra tem um daqueles pacotes esquisitos. Aberto. Dentro dele, alguma coisa avermelhada. Não sei o que é, mas cheira bem... Ela bate a porta na minha cara. Tive a impressão de ter visto um sujeito de óculos aqui também...
Quarto andar. Apartamentos 41 e 42. Campainha. Os dois me atendem ao mesmo tempo. Estranho, pensei ter visto nas duas cozinhas os mesmos pacotes...
Quinto andar. Apart... Nem chego à campainha. Duas crianças me assaltam no caminho. Querem saber da pizza... Pobrezinhas, parecem esfomeadas. Entram correndo com a pizza, deixando a porta aberta. Na cozinha, a mesma bagunça, os mesmos pacotes e – o que está acontecendo? – o mesmo sujeito de óculos!
Quinto andar. Apartamento 52. Desta vez esclareço o mistério. A empregada abre a porta. Entro sem ser convidado. Chego perto de um dos pacotes. Consigo ler as três primeiras letras do rótulo: C, H, A... Mas vem um sujeito de óculos e me empurra pra fora.
Sexto andar. Apartamento 61. Campainha... Quando a porta abre vou direto às últimas três letras do rótulo: R, L, Ô... Charlô... Charlô of course, é o que está escrito. Muito bem, o pacote já sei o que é... Mas quem é aquele sujeito de óculos que encontro de novo nessa cozinha?
Bem, deixa pra lá... Este prédio tem qualquer coisa de muito estranho... Melhor dar o fora rapidamente. Chamo o elevador. Digito o térreo. A porta se fecha. Ufa! Agora estou em segurança... Mas não, a porta se abre dois andares abaixo... e... é ele! O sujeito de óculos! Mas como pode? O que é isso? Mágica? Ele me olha estranhamente. Acho que vai falar comigo! "Já não nos vimos antes?"

Eu mal havia começado a vender os patês quando recebi uma encomenda para a festa de Réveillon do clube Alto de Pinheiros. Era coisa de 40 quilos, o que, na época, representava uma enormidade. Durante cinco dias a cozinha da minha avó Albertina se transformou em uma pequena fábrica. No fim do primeiro dia de produção, percebi que a geladeira estava lotada. O jeito foi recorrer à vizinhança do prédio e às casas dos amigos que moravam perto. O dia da entrega foi engraçado, parando de porta em porta recolhendo patês. Foi então que tudo começou. Patês Charlô, of course.

10. Patê de fígado de galinha

500 g de fígado de galinha em pedaços
1 xícara de leite
250 g de manteiga ou margarina em temperatura ambiente
4 ovos (tamanho extra)
2 colheres (chá) de sal
8 cravos
1 colher (chá) de noz-moscada ralada na hora
4 colheres (sopa) de farinha de trigo
4 colheres (sopa) de conhaque

Bata no liquidificador o fígado e o leite. Retire e passe por uma peneira. Leve de volta ao liquidificador, junte o restante dos ingredientes e bata. Retifique o tempero. Despeje em uma fôrma de bolo inglês (com capacidade de 700 g), untada com manteiga ou margarina. Leve ao forno médio (180ºC), preaquecido, e asse em banho-maria de água fervente por aproximadamente 40 minutos ou até que, enfiando a ponta de uma faca, ela saia limpa. Retire do forno, deixe esfriar e desenforme.

Para 10 pessoas

11. Patê de fígado de vitela

500 g de fígado de vitela em pedaços
1 cebola em pedaços
4 ovos
2 fatias de pão embebidas no leite
1 xícara de manteiga ou margarina
1 colher (café) de noz-moscada ralada na hora
1 1/2 colher (sopa) de molho inglês
3 pimentas-malaguetas
100 ml de whisky
sal

Bata todos os ingredientes no liquidificador. Despeje em uma fôrma de bolo inglês (com capacidade de 700 g) untada com manteiga ou margarina. Leve ao forno médio (180ºC), preaquecido, e asse em banho-maria de água fervente por aproximadamente 45 minutos ou até que, enfiando uma faca, ela saia limpa. Retire do forno, deixe esfriar e desenforme.

Para 10 a 12 pessoas

12. Terrine de lombo com pistache

500 g de fígado de galinha
1 xícara de conhaque
750 g de lombo de porco
250 g de toicinho fresco
2 ovos
3 colheres (sopa) de pistache
2 colheres (sopa) de pimenta-verde
3 colheres (chá) de sal
4 folhas de louro
2 pacotes de toicinho defumado em fatias

Deixe os fígados de molho no conhaque por pelo menos 2 horas. Passe três vezes o lombo e uma vez o toicinho fresco no moedor de carnes ou no processador de alimentos. Separe metade do fígado e bata no liquidificador. Misture as carnes moídas e a metade do fígado batido. Junte os ovos, o pistache, a pimenta-verde e o sal. Forre uma fôrma de bolo inglês (com capacidade de 1 kg) com as fatias de toicinho defumado. Coloque uma camada da mistura. Disponha os fígados inteiros por cima. Cubra com outra camada da mistura e assim sucessivamente, terminando com uma camada da mistura. Cubra com folhas de louro e fatias de toicinho defumado. Leve ao forno médio (180ºC), preaquecido, e asse em banho-maria de água fervente por 2 horas. Depois de pronto, cubra a fôrma e coloque um peso sobre ela. Desenforme no dia seguinte.

Para 12 pessoas

13. Terrine Anette

500 g de carne de vitela em tiras finas
500 g de carne de porco em tiras finas
2 xícaras de vinho branco
folhas de louro e tomilho
sal e pimenta-do-reino
500 g de fígado de galinha em pedaços pequenos
500 g de carne de lingüiça sem pimenta em pedaços
4 pãezinhos embebidos no leite
2 ovos
1 xícara de conhaque
2 pacotes de toicinho defumado

De véspera, coloque as carnes de vitela e de porco em uma vasilha com o vinho branco, o louro, o tomilho, sal e pimenta-do-reino. Deixe na geladeira. Misture o fígado de galinha, a carne da lingüiça, o pão, os ovos e o conhaque. Tempere com sal e pimenta-do-reino. Deixe na geladeira até o dia seguinte.

Forre uma fôrma de bolo inglês (com capacidade para 2 kg) com fatias de toicinho. Espalhe uma parte da mistura de fígado de galinha e sobreponha as tiras de porco e vitela. Coloque mais uma camada da mistura de fígado e outra de tirinhas de carne. Termine com a mistura de fígado. Cubra com folhas de louro e galhos de tomilho. Por último, coloque o restante das fatias de toicinho. Leve ao forno médio (180°C), preaquecido, e asse em banho-maria de água fervente por aproximadamente 2 horas ou até que, enfiando uma faca, ela saia limpa. Depois de pronto, cubra a fôrma e coloque um peso sobre ela. Desenforme no dia seguinte.

Para 20 pessoas

14. Compota de passas e cebolinhas

500 g de cebolinhas para picles
300 ml de água
4 colheres (sopa) de vinagre
3 colheres (sopa) de azeite
50 g de açúcar
3 colheres (sopa) de purê de tomate
80 g de passas brancas
1 maço de cheiro-verde
sal e pimenta-do-reino

Junte todos os ingredientes, menos o sal e a pimenta-do-reino, e leve ao fogo. Quando ferver, abaixe o fogo e deixe cozinhar até as cebolinhas ficarem macias. Retire o maço de cheiro-verde e tempere com sal e pimenta-do-reino. Sirva acompanhado de um patê ou de aves.

15. Pâté en croûte

Para a massa
1 kg de farinha de trigo
500 g de manteiga em temperatura ambiente
4 gemas
1 colher (chá) de sal
1 xícara de água

Para o recheio
500 g de fígado de galinha limpo
300 g de lombo de porco em tiras
1 cebola grande em pedaços
1 cenoura em pedaços
1 xícara de conhaque
2 folhas de louro
1 galho de tomilho fresco
sal e pimenta-do-reino
250 g de toicinho fresco
4 fatias de pão de fôrma sem casca
2 ovos
2/3 de xícara de farinha de trigo
2 colheres (sopa) de pimenta-verde (opcional)

Prepare o recheio: em uma tigela, junte o fígado de galinha, o lombo, a cebola e a cenoura. Acrescente o conhaque, o louro e o tomilho. Tempere com sal e pimenta-do-reino e deixe marinar por mais ou menos 4 horas. Passe o toicinho no moedor de carne ou no processador de alimentos. Reserve. Passe no moedor ou no processador todos os ingredientes da marinada e o pão de forma. Em uma vasilha, misture o toicinho, os ingredientes moídos, os ovos e a farinha de trigo. Misture bem. Se desejar, acrescente a pimenta-verde.
Prepare a massa: misture a farinha, a manteiga, as gemas e o sal. Amasse com as mãos. Acrescente a água aos poucos e misture. Faça uma bola. Abra a massa sobre uma superfície polvilhada com farinha de trigo. Coloque o recheio. Feche a massa e faça um pequeno furo para escapar o vapor. Pincele com um ovo. Coloque o patê em uma fôrma própria para pâté en croûte e leve ao forno médio (180ºC), preaquecido, por aproximadamente 1 hora. Para saber quando está pronto, o truque é introduzir um espetinho de metal no furo da massa; se ele sair quente, retire o patê do forno.

Para 12 a 15 pessoas

16. Geléia de pimentão

10 pimentões vermelhos
1 xícara de vinagre de vinho branco
2 1/2 xícaras de açúcar

Retire a pele e as sementes do pimentão. Corte-o em quadrados e deixe descansar em uma vasilha por 4 horas. Escorra e reserve o suco. Bata o pimentão no liquidificador ou no processador de alimentos, rapidamente, para não virar um purê. Leve ao fogo com o vinagre, o açúcar e o suco reservado. Quando ferver, abaixe o fogo. Cozinhe, mexendo sempre, até dar o ponto de geléia ou a mistura desprender do fundo da panela.

17. Chutney de tomate

1 cabeça de alho picada
1 pedaço de gengibre de 6 cm picado
1/2 litro de vinagre branco
2 kg de tomate sem pele e sem sementes picados
400 g de açúcar cristal
3 colheres (chá) de sal
1 pitada de pimenta calabresa
4 colheres (sopa) de passas claras
4 colheres (sopa) de amêndoas sem pele picadas

Bata no liquidificador o alho, o gengibre e 1 xícara de vinagre. Reserve. Numa panela de fundo largo coloque a pasta de alho e gengibre, o tomate, o vinagre restante, o açúcar, o sal e a pimenta calabresa. Deixe ferver em fogo baixo, com a panela tampada, por 1 hora e 30 minutos, mexendo de vez em quando. No final, acrescente as passas e as amêndoas e deixe cozinhar por mais 5 minutos, até dar o ponto de geléia ou a mistura desprender do fundo da panela.

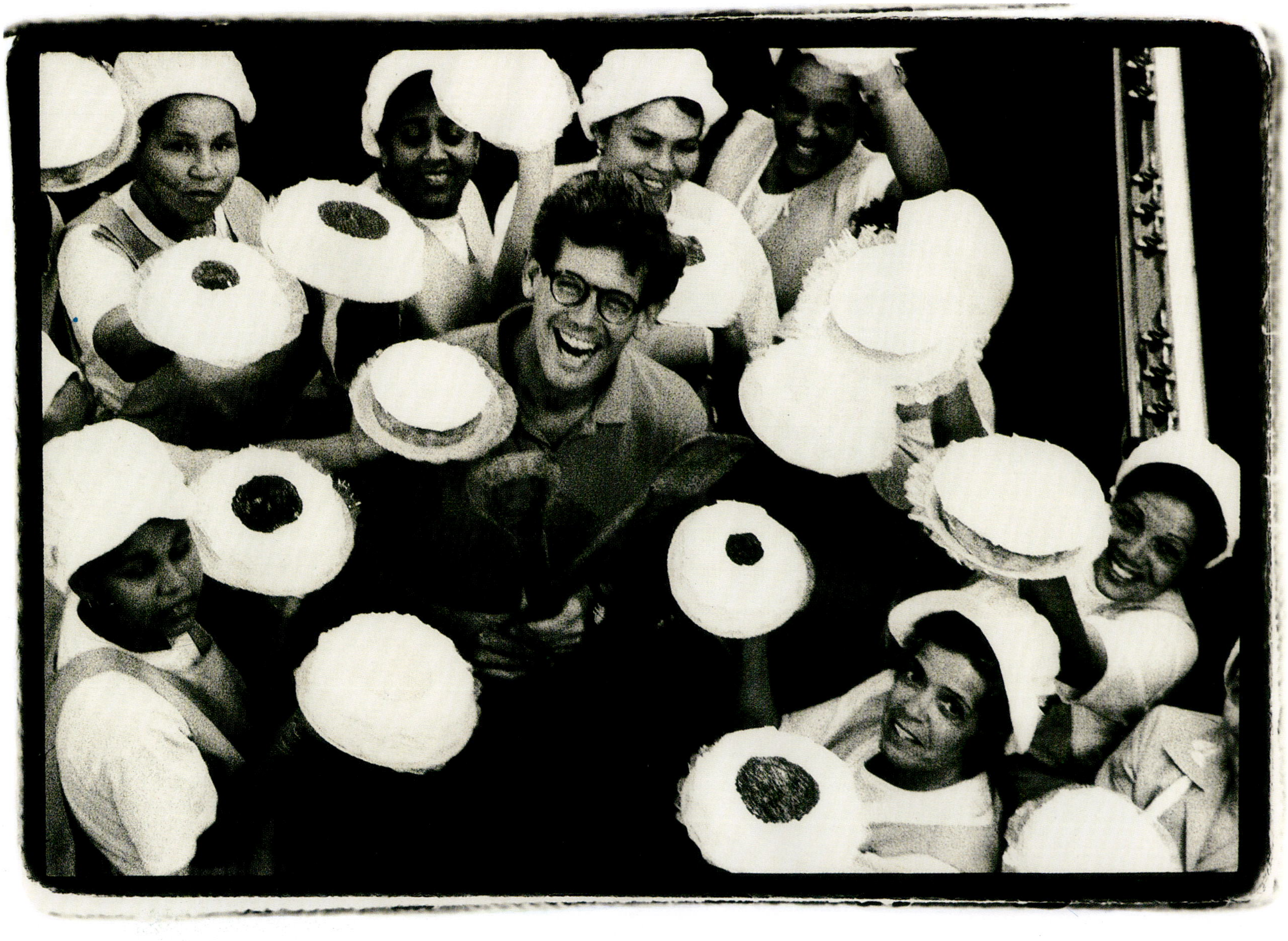

3.
A abelha

... zzzzzzzzzzzzzZZZZ! Finalmente é feriado. Tenho andado muito cansada ultimamente. A vida de uma velha abelha não é nada fácil numa cidade grande. Dedetização, poluição, adoçante dietético, flores de plástico, padeiros atentos... Trabalho 24 horas, sete dias por semana. Mas hoje é o "Dia da Grande Sobra", uma das datas comemorativas mais importantes da colméia. O fato histórico vai fazer dois anos. Me lembro como se fosse hoje. Foi logo depois que descobrimos essa loja de doces... Acho que eles fazem outras coisas além de doces, mas isso não nos interessa. Era um sujeito de óculos quem mandava no pedaço. Andava pela cozinha fazendo bolos e tortas e ensinando as moças. Montanhas de doces. O paraíso. Não que eu conseguisse chegar perto. Muito pelo contrário. O tal sujeito de óculos vivia tentando me acertar... Ele era melhor com as panelas do que com o mata-mosca. Graças a Deus. Nos doces eu nunca encostava. Ficava com as sobras, um pouco de açúcar aqui, um restinho de mel ali...

A mãe do sujeito de óculos também vinha aqui de vez em quando. Veio uma vez quando o filho estava viajando. Trouxe um bolo de nozes feito em casa e deixou-o na vitrine por alguns minutos. Fiz um vôo de reconhecimento. Dei um rasante sobre aquele bolo e não pude mais desgrudar meus 135 olhos dele. E não fui só eu. Uma cliente entrou na loja naquela hora e também não conseguiu tirar seus dois olhos de

Até 1984 nossa produção era basicamente patês e terrines. Aos poucos fomos diversificando até que, em 1985, abri minha primeira loja, na rua Attilio Inocenti, onde vendíamos quiches, tortas e bolos. Na minha nostalgia francesa, sonhava em produzir doces com sotaque europeu. Minha mãe sugeria que eu fizesse bolo de nozes e eu, na minha inexperiência, retrucava que era muito comum. Quando voltei de uma viagem, o bolo de nozes era sucesso e eu tive que me render às evidências: as coisas comuns são ótimas.

cima... Mas ele não estava à venda. A mãe do sujeito de óculos explicou que seu filho não queria o bolo de nozes na loja, que o achava caseiro demais, cafona mesmo... seja lá o que isso quer dizer. Sujeito metido a besta. Só queria saber de *crème brûlée*, *cheese cake*, essas coisas. Só o que soasse sofisticado... Não entendia nada de doces... No dia seguinte, veio uma outra cliente. Estava escolhendo uns doces ali no balcão. Daqui eu pude perceber que ela não sabia o que levar. Torta de maçã, torta de limão, torta de figo fresco ou mousse de chocolate? "Bolo de nozes", sugeriu a mãe do sujeito de óculos. Aí eu pensei: vai dar rolo. Quando ele chegasse não ia gostar nada dessa história... Acontece que a cliente adorou a sugestão e, para surpresa das funcionárias da loja, a mãe do cara de óculos correu para a cozinha e começou a fazer o tal bolo. Só que ela estava acostumada a fazer o bolo de nozes em casa, em pequenas quantidades e só para a família. Teve que reaprender a receita. Açúcar, ovos, leite e nozes cruzavam a cozinha numa velocidade estonteante. Mesmo para uma abelha... A encomenda era para o dia seguinte e foram várias tentativas até ela conseguir fazer o bolo com o tamanho certo. As sobras eram jogadas fora. Uma maravilha. Em menos de uma hora tínhamos uma cesta lotada de bolo de nozes. Bati um rádio para a colméia e veio a tropa toda. Aquelas sobras nos alimentaram por muitos e muitos meses. Foi um acontecimento nacional. A rainha decretou ponto facultativo e aquele se tornou para sempre o "O Dia da Grande Sobra".

Vários bolos de nozes estavam em cima do balcão quando o sujeito de óculos chegou, duas semanas depois. Ele surpreendeu a mãe com as mãos brancas de farinha e um sorriso desconcertado no rosto. As funcionárias olharam todas para o chão, prontas para serem repreendidas. Mas o sujeito de óculos teve de se render às evidências. Depois da primeira venda, no "Dia da Grande Sobra", o bolo se tornou um sucesso de público. Encomendas não paravam de chegar. Até hoje o bolo de nozes é um campeão de vendas da loja... Isso é que eu não entendo: se aquele bolo fez tanto sucesso, por que o "Dia da Grande Sobra" não é comemorado também entre os humanos? Curioso... ZZZZZZzzzzzzzz...

18. Bolo de cacau

Para a massa

75 g de manteiga em temperatura ambiente
200 g de açúcar
4 gemas
1 xícara de leite
180 g de farinha de trigo peneirada
70 g de chocolate em pó peneirado
1 colher (chá) de fermento em pó peneirado
4 claras
1 pitada de sal

Para o recheio

100 g de cacau
100 g de manteiga
125 g de açúcar
125 ml de água

Para a cobertura

4 claras
4 colheres (sopa) de açúcar

Prepare a massa: bata a manteiga com o açúcar e as gemas até obter um creme esbranquiçado. Acrescente, aos poucos, o leite alternado com a farinha de trigo, batendo sempre depois de cada adição. Junte o chocolate e o fermento e continue batendo até misturar bem. Bata as claras em neve com uma pitada de sal. Junte à massa e misture delicadamente. Distribua a massa em três fôrmas de 20 cm de diâmetro untadas com manteiga e polvilhadas com farinha. Distribua a massa. Leve ao forno médio (180ºC), preaquecido, por 10 minutos ou até que, enfiando um palito, ele saia limpo. Deixe esfriar e desenforme.

Prepare o recheio: em uma panela, misture bem os ingredientes e leve ao fogo, mexendo sem parar, até engrossar.

Prepare o suspiro: bata as claras em neve. Junte o açúcar, aos poucos, e bata até obter um suspiro firme.
Num prato de servir, disponha o primeiro disco de massa. Fure com o garfo e espalhe um pouco do recheio. Coloque o segundo disco e repita a operação. Disponha o terceiro disco. Cubra o bolo com o suspiro.

Para 10 a 12 pessoas

Sugestão: se desejar, sirva fatias do bolo aquecidas no microondas e acompanhadas de sorvete de creme.

SCOWITCH

ções eleitorais

...elo interior paulista
...ezas quanto à can-
...restes Quércia.
...e o candidato do
...overno de São Paulo
...r por até um milhão, que o
...na Capital, que o
...upera.

★ ...res de Paulo Maluf
que, na avaliação do
...do PDS, Quércia terá
...no um milhão de votos
...al.

...ingo

..., em do-
...mentava-se
...s tinham se
...nio Ermírio
...raes.
...s garçon
...na e da
...ctos c...
...r sua tr...
...irismo...

Ideologia com...

...balcão de sushi do restauran-
Sushigem viveu um supercon-
stionamento de estrelas do-
...ingo à noite.
Hector...Babenco chegava do
...de bermudas e tudo.
...com seu filho

POLÍTICA DA BOA V... NÇ...

Vizinhos de trabalho, Maria Pia
Scarano Arantes e Charlô Whately
(foto) se encontram todos os dias. E
trocam idéias e confidências. Só não
trocam receitas. Afinal, é disso que
Charlô faz patês, bolos e
...Desde o tempo em
...

ro. P...
da po...ma famí...
quatr...dade em...
uma ...rabalha co...
espe...ood Food
tade ...em conge
bet...la se vira
sem...ão. Quan
...curioso
...experts em agrad

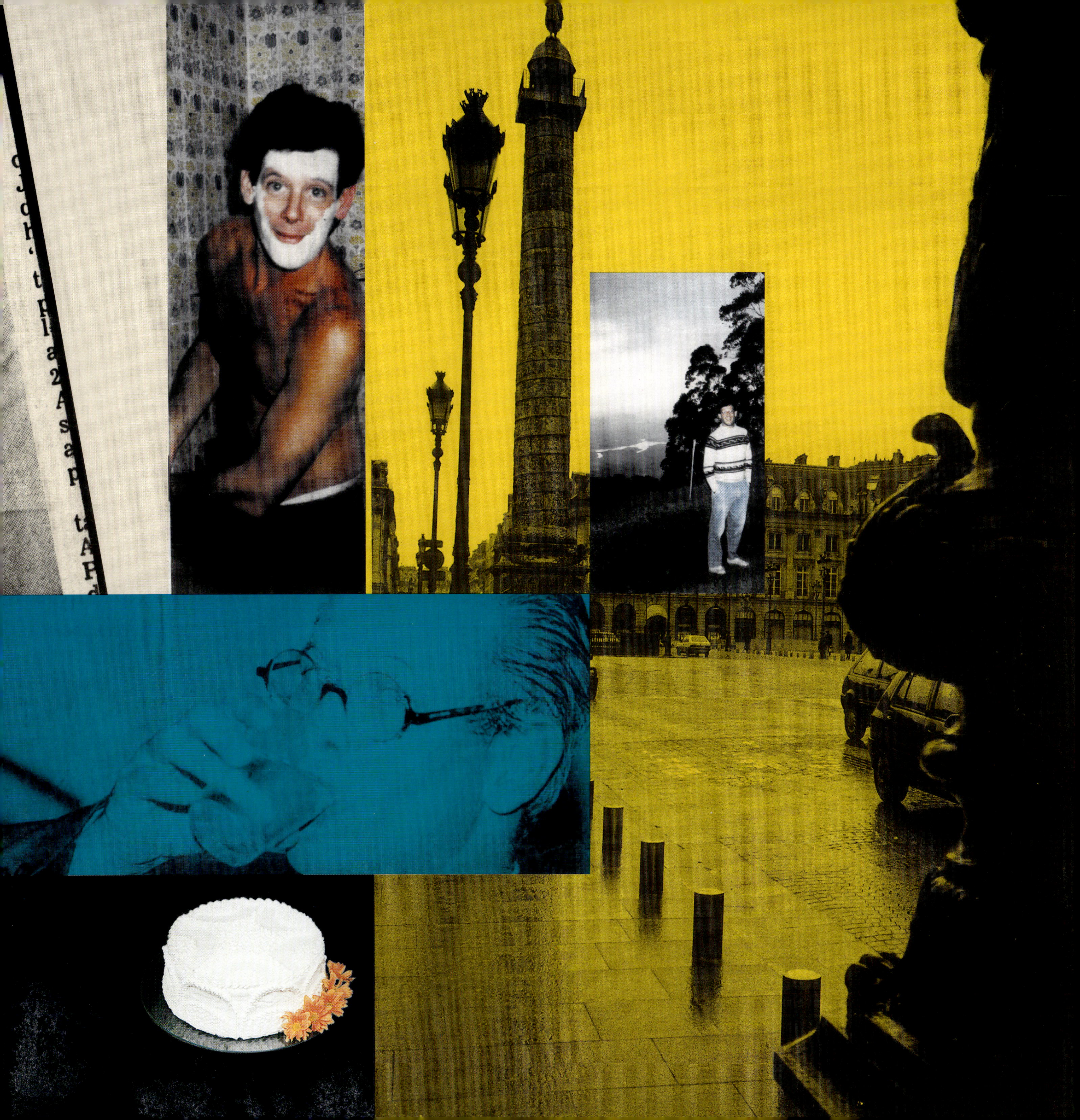

19. Bolo de nozes

Para a massa
12 claras
1 pitada de sal
7 colheres (sopa) de açúcar
12 gemas
2 colheres (chá) de fermento em
pó peneirado
400 g de nozes sem casca e moídas

Para o recheio
10 gemas passadas na peneira
250 g de açúcar
1 xícara de leite

Para a cobertura
1 xícara de água
2 xícaras de açúcar
1 xícara de claras em temperatura ambiente

Prepare a massa: bata as claras em neve com uma pitada de sal. Acrescente, aos poucos, o açúcar e bata até obter um suspiro firme. Junte as gemas, uma a uma, batendo bem. Junte o fermento e misture. Por último, acrescente as nozes e misture delicadamente. Distribua a massa em três fôrmas de aro removível de 20 cm de diâmetro untadas com manteiga e polvilhadas com farinha. Leve ao forno médio (180ºC), preaquecido, por aproximadamente 10 minutos ou até que, enfiando um palito, ele saia limpo. Desenforme ainda morno. Deixe esfriar, de preferência sobre uma grade.

Prepare o recheio: bata as gemas com o açúcar até obter um creme esbranquiçado. Acrescente o leite e mexa com uma colher de pau. Leve ao fogo baixo, sem parar de mexer, até engrossar. Deixe esfriar, mexendo ocasionalmente.

Prepare a cobertura: leve a água e o açúcar ao fogo, mexendo com colher de metal, até dissolver o açúcar. Pare de mexer e faça uma calda grossa com a consistência de mel. Bata as claras em neve. Junte, aos poucos, a calda ainda quente, batendo sempre, até a cobertura amornar.
Num prato de servir, disponha o primeiro disco de massa. Fure com o garfo e espalhe um pouco do recheio. Coloque o segundo disco e repita a operação. Disponha o terceiro disco. Cubra o bolo com a cobertura.

Para 10 a 12 pessoas

20. Cheese cake

Para a massa
100 g de biscoito de maisena
2 colheres (sopa) de manteiga derretida

Para o recheio
800 g de queijo quark
200 g de açúcar
7 ovos
1/2 colher (chá) de casca de limão ralada
1/2 colher (chá) de essência de baunilha

Prepare a massa: bata os biscoitos no liquidificador ou no processador de alimentos. Junte a manteiga e misture. Unte com manteiga uma fôrma de aro removível de 20 cm de diâmetro. Coloque a massa, pressionando bem o fundo e as laterais da fôrma. Leve ao forno médio (180°C), preaquecido, por aproximadamente 10 minutos.

Prepare o recheio: bata todos os ingredientes no liquidificador ou no processador de alimentos e despeje sobre a fôrma. Leve ao forno médio (180°C), preaquecido, por 35 a 40 minutos. O cheese cake estará pronto quando as laterais estiverem firmes, mas a parte central ainda mole. Retire do forno e deixe esfriar.

Para 10 a 12 pessoas

21. Torta americana

250 g de manteiga em temperatura ambiente
250 g de açúcar
7 ovos em temperatura ambiente
250 g de chocolate em pó peneirado

Bata muito bem a manteiga e o açúcar. Acrescente os ovos, um a um, e bata. Junte o chocolate e continue batendo até obter um creme bem claro. Separe 1/4 da massa e cubra o fundo de uma fôrma de aro removível de 20 cm de diâmetro. Leve para assar em forno médio (180ºC), preaquecido, por aproximadamente 10 minutos ou até que, enfiando um palito, ele saia limpo. Retire e deixe esfriar. Espalhe o restante do creme sobre a massa e leve à geladeira.

Para 10 a 12 pessoas

48

22. Torta de limão

Para a massa
250 g de farinha de trigo
175 g de manteiga em temperatura ambiente
2 colheres (sopa) de açúcar
1 pitada de sal
2 colheres (sopa) de água
1 colher (sopa) de suco de limão

Para o creme
3 ovos
200 g de açúcar
suco de 2 limões
250 g de manteiga

Para o suspiro
6 claras
225 g de açúcar

Prepare a massa: misture todos os ingredientes e deixe na geladeira por 30 minutos. Abra a massa sobre uma superfície polvilhada com farinha de trigo. Forre o fundo e as laterais de uma fôrma de aro removível de 25 cm de diâmetro. Leve ao forno médio (180°C), preaquecido, por aproximadamente 20 minutos.

Prepare o creme: bata os ovos com o açúcar e o suco de limão. Leve ao fogo em banho-maria de água fervente e vá adicionando, aos poucos, a manteiga até misturar, mas sem deixar ferver. Espalhe sobre a massa e leve novamente ao forno médio (180°C), preaquecido, por aproximadamente 15 minutos. O recheio deve estar firme, mas ainda mole no centro.

Prepare o suspiro: bata as claras em neve. Junte o açúcar, aos poucos, e bata até obter um suspiro firme. Espalhe sobre a torta e volte ao forno médio (180°C) por 10 minutos ou até começar a dourar.

Para 8 a 12 pessoas

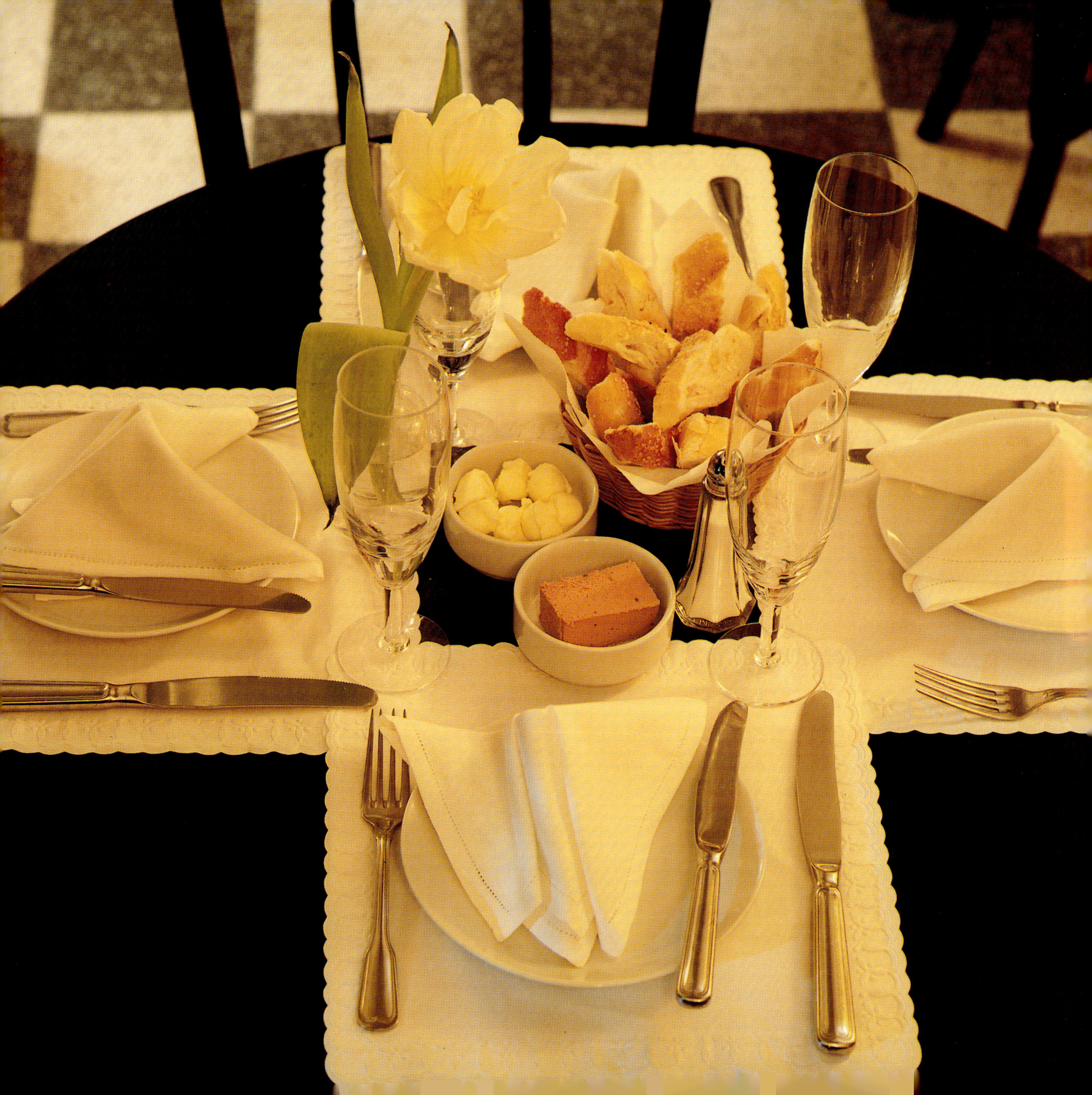

4.
O garçom

Olhando assim não parece nada apetitoso. Essa grande panela borbulhante, com os ingredientes já meio disformes boiando num cozido sem cor definida... Não sei o que aquele rapaz de óculos viu nisso aqui. O fato é que atravessou a porta do restaurante como se já conhecesse tudo. Sentou-se à melhor mesa – a que dá vista para o porto – e pediu o vinho que costumo indicar somente para os mais íntimos. Parecia um velho freqüentador e, no entanto, era a primeira vez que entrava neste estabelecimento. Vinha de longe, Brasil ou Venezuela, não sei, mas não era marinheiro como os outros... Estranho que tivesse chegado aqui, neste pequeno porto perdido ao sul do mar mais gelado do planeta. Estranho que tivesse encontrado esta aldeia debaixo de tanta neblina...

Viu o patrão no fundo do salão, diante de seu habitual prato de cozido. Não era exatamente um prato típico, nem constava do cardápio. Era só a comida dos funcionários do restaurante. Ele costumava comê-lo escondido na última mesa, lá no fundo, porque achava que seu aspecto poderia espantar os fregueses. O rapaz de óculos, certamente impressionado com as maneiras rudes do patrão à mesa, perguntou quem era ele e o que estava comendo. Respondi que era o dono do restaurante e que o prato era o cozido da casa. Nenhum deles era muito recomendável... Mas o rapaz quis conhecer o patrão e, sobretudo, experimentar aquele prato. Expliquei que um não primava pelas boas maneiras e o outro parecia mera lavagem para porcos. Ele insistiu. Levei-o até lá. O homem nem sequer ergueu os olhos do prato, continuou comendo com aquela volúpia diante do estrangeiro. Não tinha tempo para bolivianos ou argentinos, seja lá o que ele fosse...

Mas ele não desistiu. Queria experimentar o cozido de qualquer maneira. "Se o dono do restaurante está comendo é porque é bom." Trouxe-lhe o prato. Para espanto de todos, começou a saboreá-lo cuidadosamente. O cozinheiro veio à janela da cozinha para observar. O dono do restaurante abandonou por um minuto seu prato para acompanhá-lo de soslaio. Aos poucos, os outros fregueses, marinheiros e prostitutas do cais, começaram a se interessar pelo prato que o rapaz devorava com gosto. Os pedidos vieram de todo o salão. Foi o grande sucesso do dia e é o carro-chefe desse restaurante até hoje.

O patrão colocou o cozido no cardápio como prato especial. O cozinheiro teve de botar no papel uma receita que durante anos executava de memória e o pintor da aldeia precisou refazer a placa que ornava nossa fachada: o cozido agora empresta seu nome ao restaurante.

Nunca soubemos quem era aquele rapaz. Sabemos apenas que veio do Paraguai – ou do Peru, sei lá – e que, sem perceber, orquestrou a maior jogada de marketing que esta pequena aldeia já viu. Até hoje, quando o cozinheiro inventa um novo prato, o patrão ocupa uma mesa no meio do salão e o devora com toda aquela volúpia. Dependendo do movimento, ele chega a comer o mesmo prato até oito vezes para dar o exemplo. Funciona. Com essa técnica, ele tem ficado mais rico a cada dia. E muito mais gordo.

Não sei o que aquele rapaz faz lá na Bolívia ou no Paraguai, de onde veio. Mas, seja onde for, ele devia abrir um restaurante. Parece que entende da coisa.

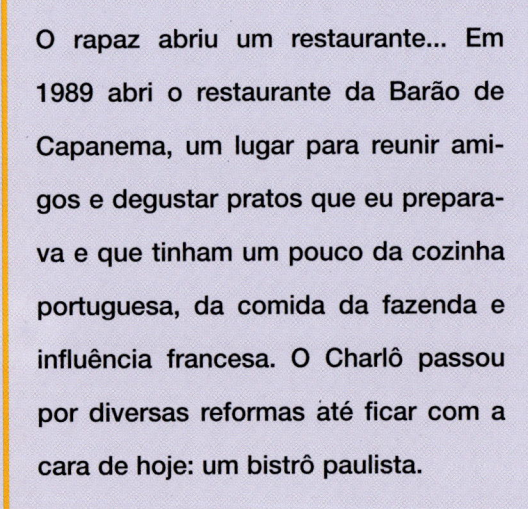

O rapaz abriu um restaurante... Em 1989 abri o restaurante da Barão de Capanema, um lugar para reunir amigos e degustar pratos que eu preparava e que tinham um pouco da cozinha portuguesa, da comida da fazenda e influência francesa. O Charlô passou por diversas reformas até ficar com a cara de hoje: um bistrô paulista.

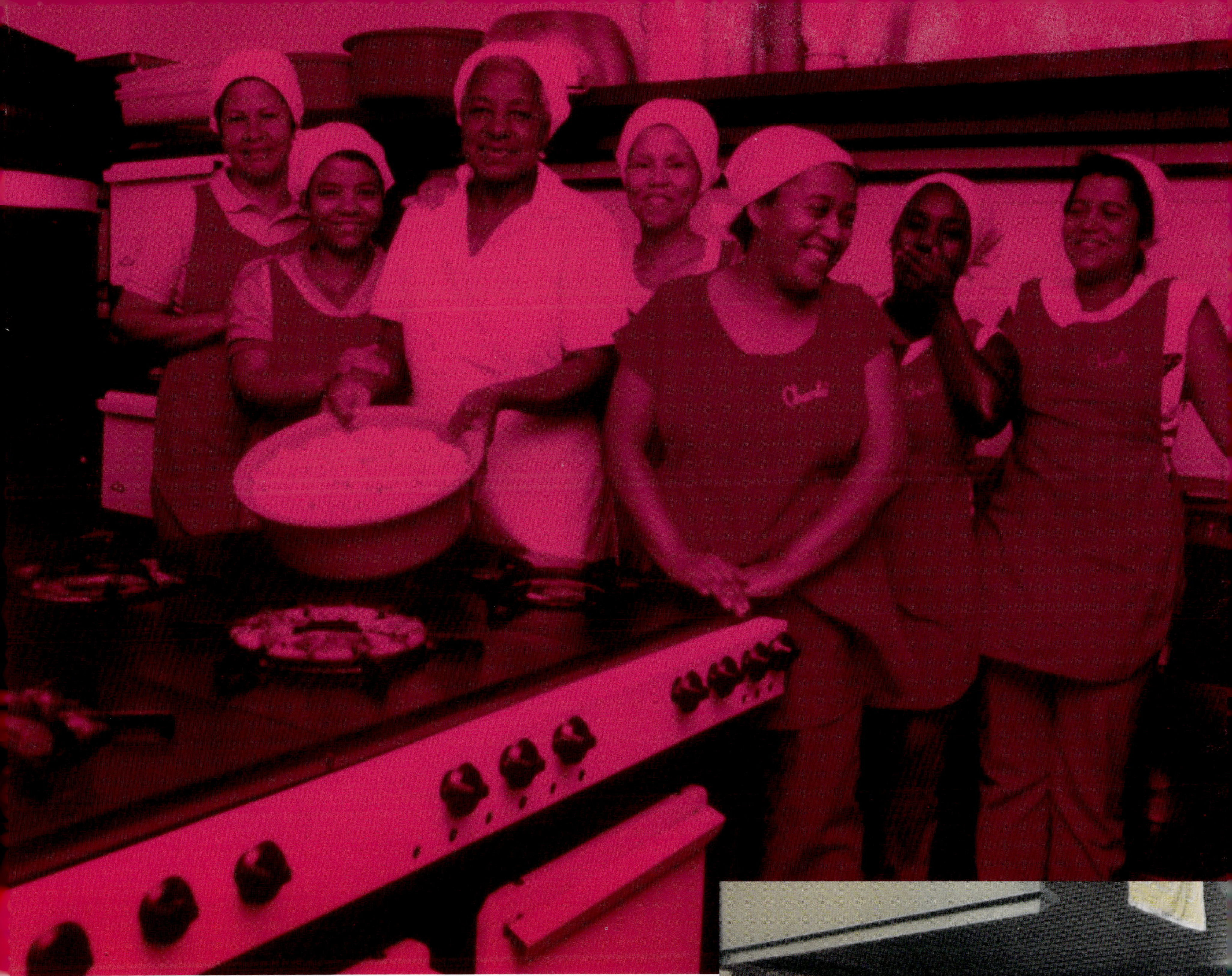
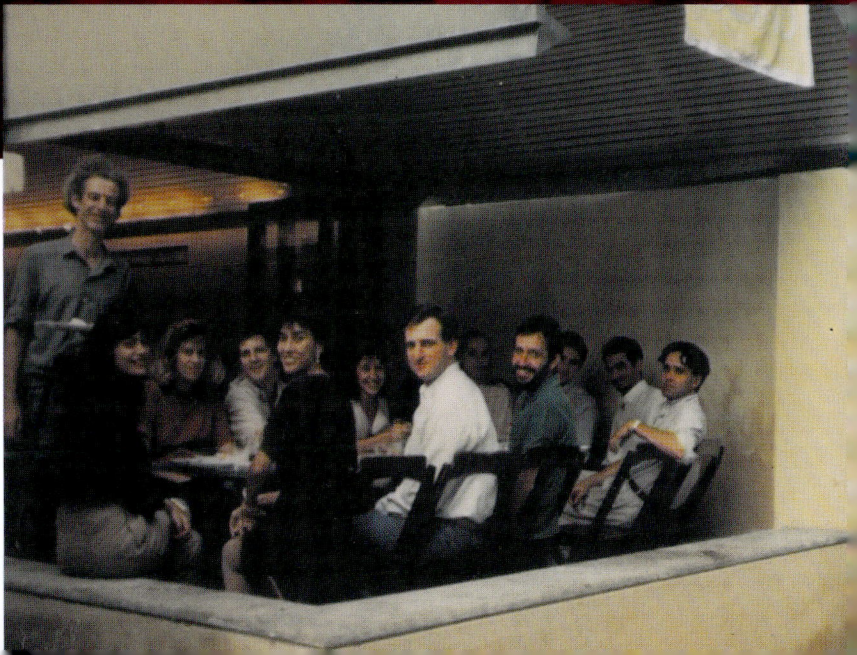

23. Penne com champignon e alho-poró

200 g de alho-poró em rodelas
100 g de manteiga
200 g de cogumelo fresco em fatias
500 ml de creme de leite fresco
sal e pimenta-do-reino
500 g de penne tricolore
queijo parmesão ralado

Em uma panela, refogue o alho-poró na manteiga até murchar. Junte o cogumelo e refogue por mais alguns minutos. Acrescente o creme de leite e mexa bem. Tempere com sal e pimenta-do-reino. Cozinhe em fogo baixo por 5 minutos e reserve. Cozinhe o penne com água e sal e um fio de azeite. Retire quando estiver al dente. Sirva o penne com o molho de alho-poró e cogumelos e o queijo ralado.

Para 4 pessoas

24. Misto de peixe, camarão, lula, shitake e legumes grelhados

2 camarões grandes
3 lulas médias
150 g de salmão em postas
1 shitake grande
1 fatia de tomate
1 fatia de cebola
3 fatias de abobrinha italiana
sal e pimenta-do-reino
40 g de manteiga
1 colher (sopa) de molho tártaro
1 fatia de limão

Tempere o camarão, a lula, o salmão, o shitake, o tomate, a cebola e a abobrinha com sal e pimenta-do-reino. Derreta a manteiga em uma frigideira e grelhe os ingredientes separadamente nesta seqüência: primeiro a lula, depois o camarão, o salmão, a abobrinha, a cebola, o tomate e, por último, o shitake. Arrume tudo em uma travessa retangular. Sirva com molho tártaro e enfeite com uma fatia de limão.

Para 1 pessoa

25. Molho tártaro

100 g de cenoura em conserva picada
100 g de pepino em conserva picado
100 g de alcaparras picadas
400 g de maionese
50 g de salsinha picada

Misture a cenoura, o pepino e a alcaparra com a maionese. Junte a salsinha picada. Guarde na geladeira por até 10 dias.

26. Haddock com molho de dill

Para o haddock
1 posta de 300 g de haddock
1 litro de leite
200 ml de molho de dill

Para o molho de dill
200 g de salsão em pedaços
200 g de cebola em pedaços
200 g de alho-poró em pedaços
100 g de manteiga
leite do cozimento do haddock
500 ml de creme de leite fresco
100 g de dill fresco picado
sal e pimenta-do-reino

Prepare o haddock: cozinhe o haddock em bastante leite por aproximadamente 10 minutos, até ficar macio, mas sem quebrar. Reserve o leite do cozimento.

Prepare o molho de dill: refogue o salsão, a cebola e o alho-poró na manteiga. Adicione o leite do cozimento do haddock e deixe ferver em fogo baixo por aproximadamente 5 minutos. Bata no liquificador, peneire e volte ao fogo. Acrescente o creme de leite, o dill, sal e pimenta-do-reino e deixe engrossar. Junte o haddock. Sirva o haddock com o molho de dill acompanhado de batatinhas sautées.

Para 1 pessoa

27. Batatinhas sautées

50 g de manteiga sem sal
200 g de batatinhas redondas cozidas
20 g de salsinha picada

Derreta a manteiga e frite as batatinhas. Salpique com a salsinha.

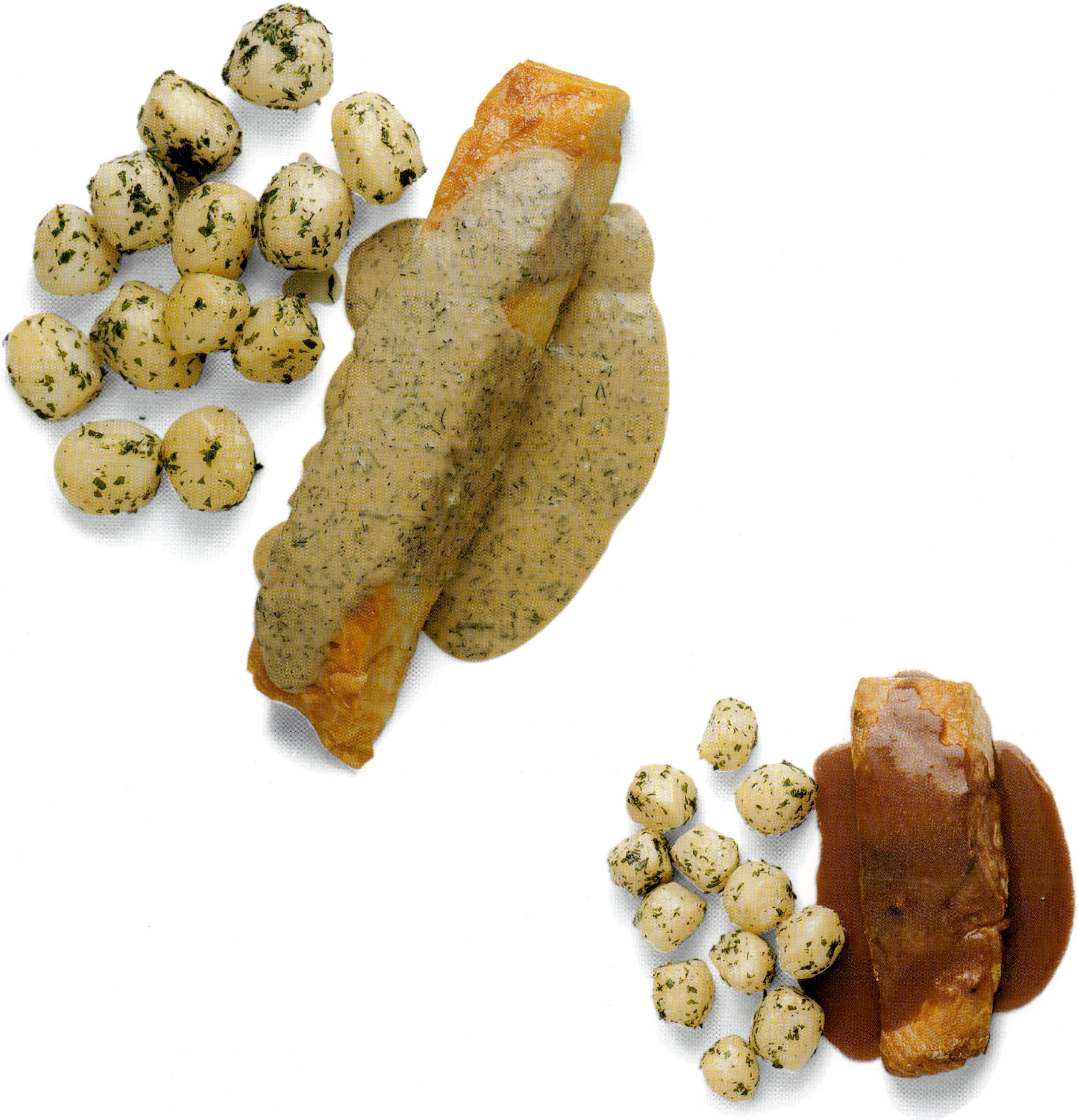

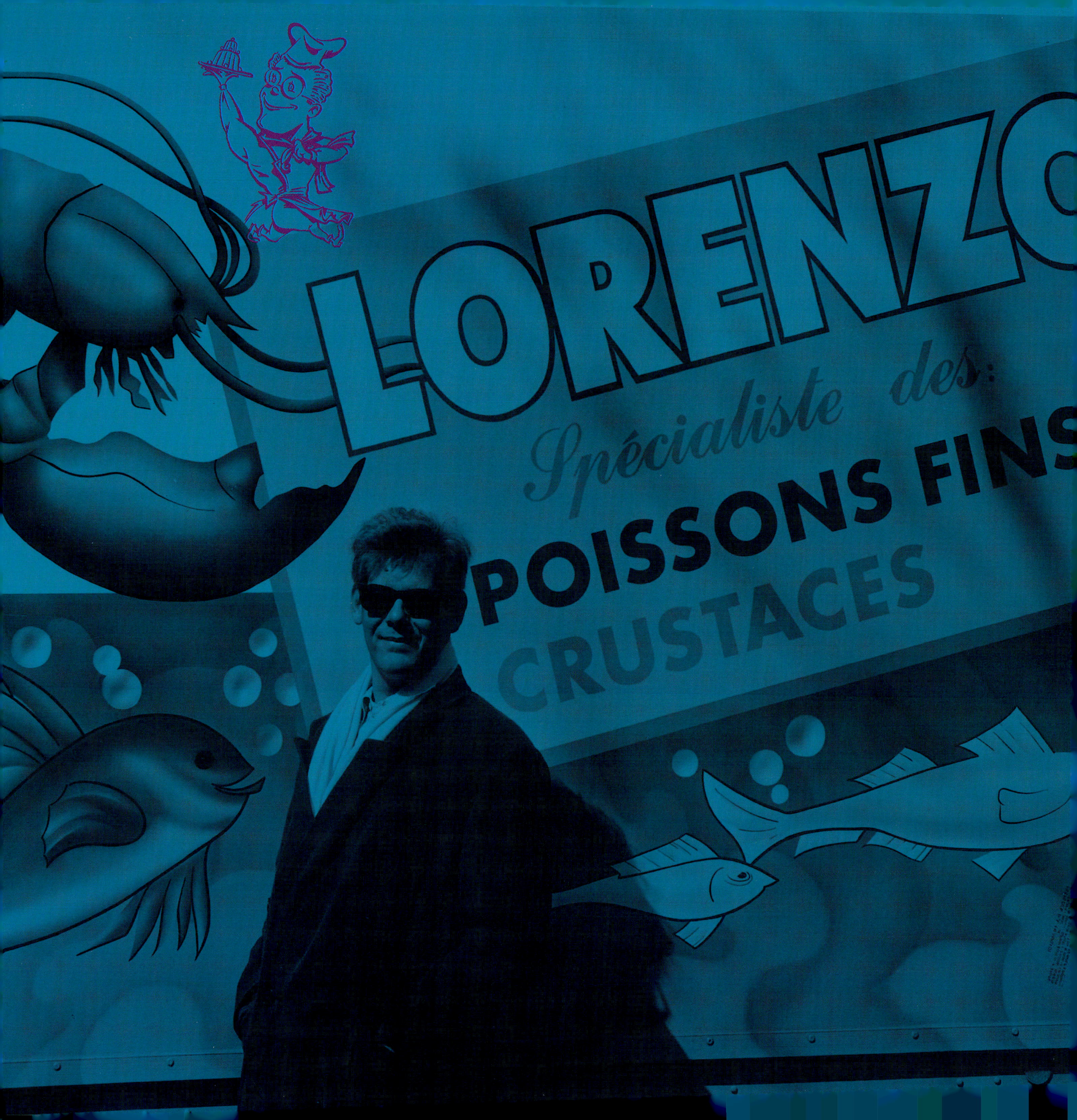
LORENZO
Spécialiste des:
POISSONS FINS
CRUSTACES

28. Bife de atum com shitake

200 ml de molho de shoyu
100 g de shitake em tiras
250 g de bife de atum
50 g de manteiga

Em uma panela, junte o molho de shoyu e o shitake e cozinhe por 3 minutos. Reserve. Frite o atum rapidamente na manteiga (30 segundos de cada lado). Sirva o atum e o shitake com molho de shoyu e purê de batatas.

Para 1 pessoa

29. Molho de shoyu

500 ml de shoyu
200 g de açúcar
300 ml de vinagre de maçã
500 ml de água
300 ml de saquê

Deixe ferver todos os ingredientes em fogo baixo por 30 minutos.

30. Salmão grelhado com vinho tinto

Para o molho
1 cebola em fatias finas
400 g de manteiga
1 litro de vinho tinto
sal e pimenta-do-reino

Para o salmão
1 kg de salmão fresco
1 colher (sopa) de manteiga
sal e pimenta-do-reino

Prepare o molho: doure a cebola em 1 colher (sopa) de manteiga. Tempere com sal e pimenta-do-reino. Acrescente o vinho tinto e deixe reduzir um pouco. Junte a manteiga aos poucos até incorporá-la ao molho.

Prepare o salmão: em uma frigideira, frite os filés de salmão na manteiga. Tempere com sal e pimenta-do-reino. Distribua os filés em pratos individuais, cubra com o molho de vinho tinto e sirva com batatinhas sautées (receita na página 56).

Para 4 pessoas

31. Camarão com molho de gruyère

5 camarões grandes
1/2 colher (sopa) de manteiga
1 colher (sopa) de conhaque
1/2 xícara de molho de gruyère
sal e pimenta-do-reino
risoto de espinafre

Doure o camarão na manteiga. Adicione o conhaque e flambe. Abaixe o fogo, acrescente o molho de gruyère e deixe engrossar, mexendo sempre. Tempere com sal e pimenta-do-reino. Sirva o camarão com molho de gruyère acompanhado de risoto de espinafre.

Para 1 pessoa

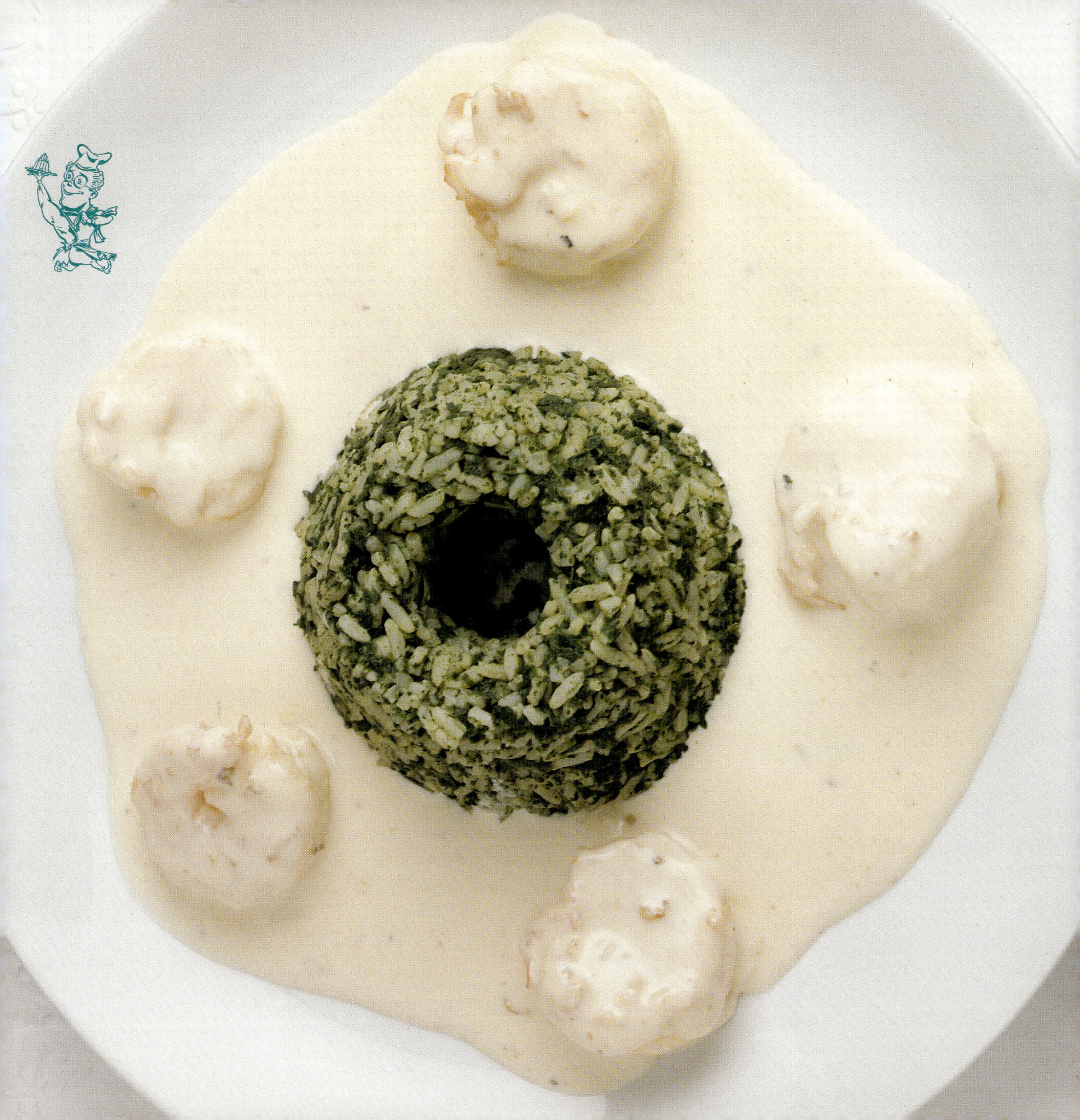

32. Molho de gruyère

100 g de cebola picada
100 g de manteiga
400 g de queijo gruyère fundido
200 g de queijo parmesão ralado
800 ml de caldo feito com as cascas
e cabeças de camarão
sal e pimenta-do-reino
300 ml de creme de leite fresco

Refogue a cebola na manteiga. Junte o queijo gruyère, o queijo parmesão e o bisque de camarão. Misture e deixe ferver em fogo baixo até os queijos ficarem bem cremosos. Bata no liquidificador. Leve de volta à panela e tempere com sal e pimenta-do-reino. Adicione o conhaque e o creme de leite e cozinhe em fogo baixo até engrossar.

33. Risoto de espinafre

100 g de espinafre
750 ml de caldo de frango
100 g de cebola picada
60 g de manteiga
200 g de arroz italiano para risoto
50 ml de vinho branco seco
60 g de queijo parmesão ralado

Cozinhe o espinafre. Escorra bem e bata formando um purê. Reserve. Esquente o caldo de frango. Frite a cebola em metade da manteiga. Junte o arroz e refogue por mais alguns minutos. Acrescente o vinho branco e deixe evaporar. Abaixe o fogo e junte o caldo de frango aos poucos. Mexa sem parar por 25 a 30 minutos até cozinhar o arroz. Retire do fogo. Junte o restante da manteiga, o queijo parmesão e o purê de espinafre. Misture bem. Sirva imediatamente.

Para 2 pessoas

34. Magret de pato com maçã sautée

Para a maçã sautée
100 ml de polpa de maracujá fresco
1/2 xícara de água
20 g de manteiga
1 maçã em cubos
20 g de salsinha picada

Para o pato
1 magret (peito de pato gordo)
sal e pimenta-do-reino

Prepare a maçã sautée: bata a polpa do maracujá com a água no liquidificador e coe. Derreta a manteiga em uma frigideira, junte a maçã e deixe amolecer um pouco. Acrescente o suco de maracujá e deixe ferver em fogo baixo por aproximadamente 2 minutos. Junte a salsinha picada.

Prepare o pato: tempere o pato com sal e pimenta-do-reino. Faça uns talhos na gordura do magret com uma faca bem afiada. Grelhe em uma frigideira bem quente com o lado da gordura para baixo. Quando a gordura estiver bem torrada e derretida, grelhe do outro lado. Corte o magret em fatias e sirva com a maçã sautée.

Para 1 pessoa

35. Vitela recheada com damasco e alecrim

1 peça de pernil de vitela desossado
sal e pimenta-do-reino
400 g de damascos secos azedos
100 g de alecrim sem os talos
100 g de manteiga
1 xícara de vinho branco seco
molho rôti de vitela

Abra o pernil e forme um retângulo. Tempere com sal e pimenta-do-reino. Cozinhe o damasco em água suficiente para cobri-lo até ficar macio. Recheie a vitela com o damasco e o alecrim. Enrole formando um rocambole e amarre bem firme com barbante. Coloque em uma assadeira, unte a carne com manteiga, regue com o vinho e leve ao forno médio (180ºC), preaquecido, por 40 minutos. Sirva o rocambole com o molho rôti de vitela acompanhado de batata gratinada e risoto de espinafre.

Para 6 pessoas

36. Molho rôti de vitela

3 kg de ossos e aparas de vitela
10 litros de água
250 g de cenoura em pedaços (com a casca)
250 g de salsão em pedaços
250 g de alho-poró em pedaços
500 g de cebola em pedaços (com a casca)
100 g de alho em pedaços (com a casca)
1 1/2 litro de vinho tinto
25 ml de molho inglês
25 ml de shoyu
50 g de ervas da Provence
25 g de louro
50 g de alecrim
4 cubos de caldo de carne

Coloque os ossos e as aparas de vitela em uma assadeira e leve ao forno quente (220ºC), preaquecido, até torrar. Solte a gordura do fundo da assadeira com um pouco de água quente. Junte em uma panela grande a água com gordura, 10 litros de água, a cenoura, o salsão, o alho-poró, a cebola e o alho. Deixe ferver em fogo baixo por 2 horas. Acrescente o vinho tinto, o molho inglês, o shoyu, as ervas da Provence, o louro, o alecrim e o caldo de carne. Cozinhe em fogo baixo por mais 4 horas, até os ingredientes estarem quase dissolvidos e o molho bem escuro. Coe em uma peneira bem fina e coloque em potes previamente escaldados em água fervente e secos com um pano limpo. Guarde no freezer e consuma em até 2 meses.

37. Batata gratinada

1 kg de batata grande em fatias finas
70 g de manteiga em temperatura ambiente
40 g de queijo parmesão ralado
300 ml de creme de leite fresco
sal e pimenta-do-reino

Em uma fôrma refratária, coloque uma camada de batata, salpique com manteiga, queijo parmesão, creme de leite, sal e pimenta-do-reino. Repita as camadas até completar a fôrma. Leve ao forno médio (180ºC), preaquecido, por 30 minutos ou até gratinar.

Para 6 pessoas

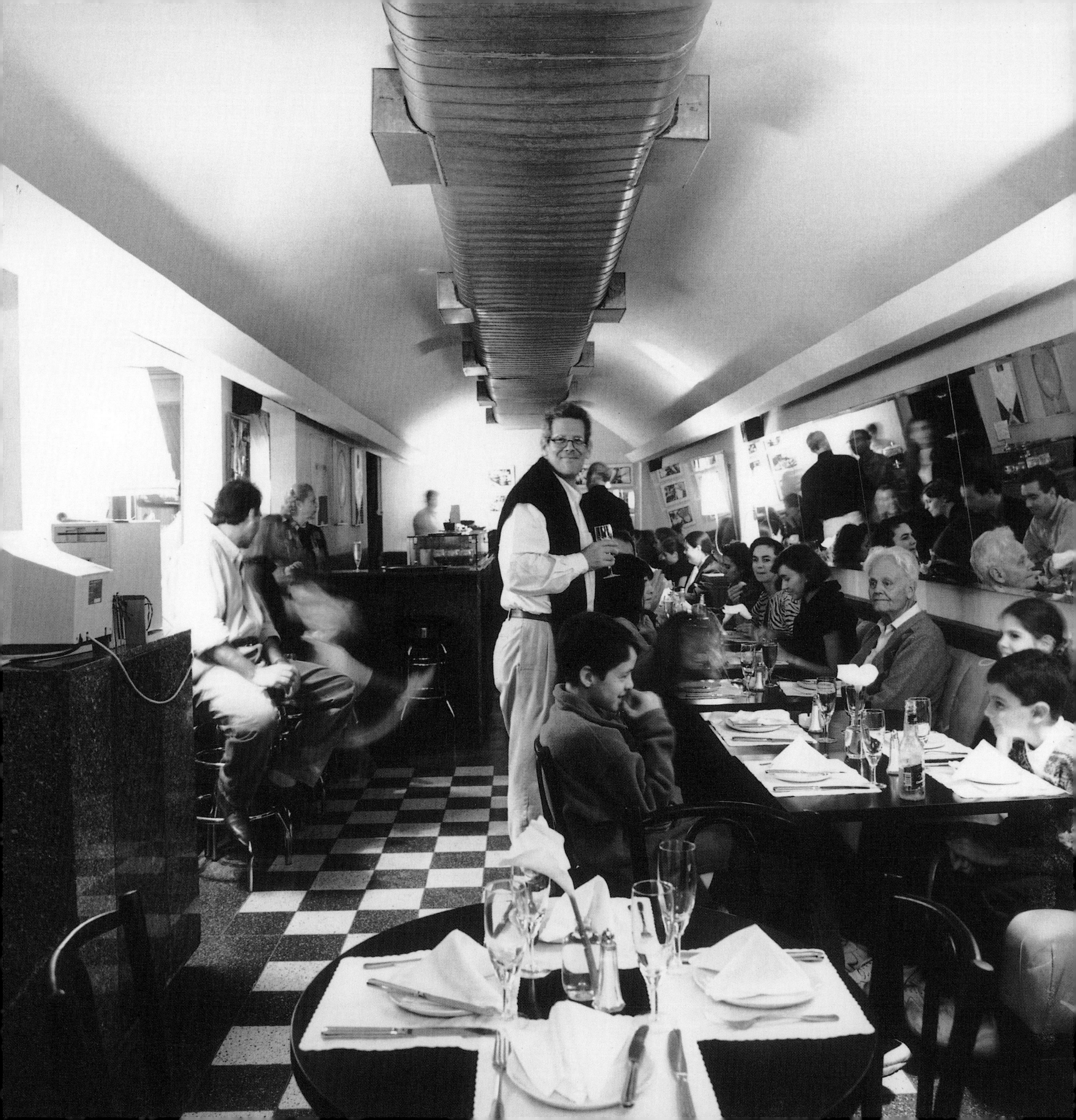

38. Jambonneau de frango com funghi

Para o frango
2 peças de coxa e sobrecoxa de frango desossadas
150 g de funghi seco
50 g de cebola picada
50 g de pimentão vermelho picado
sal e pimenta-do-reino

Para o molho
50 g de cebola picada
150 g de manteiga
150 g de funghi seco
250 ml de creme de leite fresco
200 ml de caldo de frango
20 g de salsinha picada

Prepare o frango: tempere as coxas e sobrecoxas com sal e pimenta-do-reino. Ferva o funghi seco até ficar macio. Escorra, corte em pedaços e reserve. Misture 2 colheres (sopa) de funghi, a cebola e o pimentão vermelho. Recheie as coxas e sobrecoxas. Coloque em uma assadeira untada com óleo. Asse em forno médio (180°C), preaquecido, por aproximadamente 40 minutos ou até que a pele esteja bem dourada.

Prepare o molho: refogue a cebola na manteiga, junte o funghi restante, o caldo de frango e o creme de leite. Deixe ferver em fogo baixo por aproximadamente 10 minutos.
Retire a pele das coxas e sobrecoxas. Sirva com o molho de funghi.

Para 1 pessoa

a cebola na manteiga até ficar transparente. Junte a abóbora e refogue mais um pouco, mexendo bem. Tempere com sal e pimenta-do-reino. Acrescente a salsinha picada.

Prepare a carne-seca: coloque a carne de molho por umas 8 horas, afervente-a ligeiramente, corte em cubos e desfie, separando as gorduras. Em uma frigideira, refogue a cebola picada no óleo de soja. Quando estiver transparente, acrescente a carne-seca e refogue por mais 1 minuto. Se a carne começar a secar, acrescente um pouco de caldo de galinha. Salpique com salsinha. Sirva a carne-seca com o quibebe e a banana, acompanhada de feijão, arroz e farofa.

Para 1 pessoa

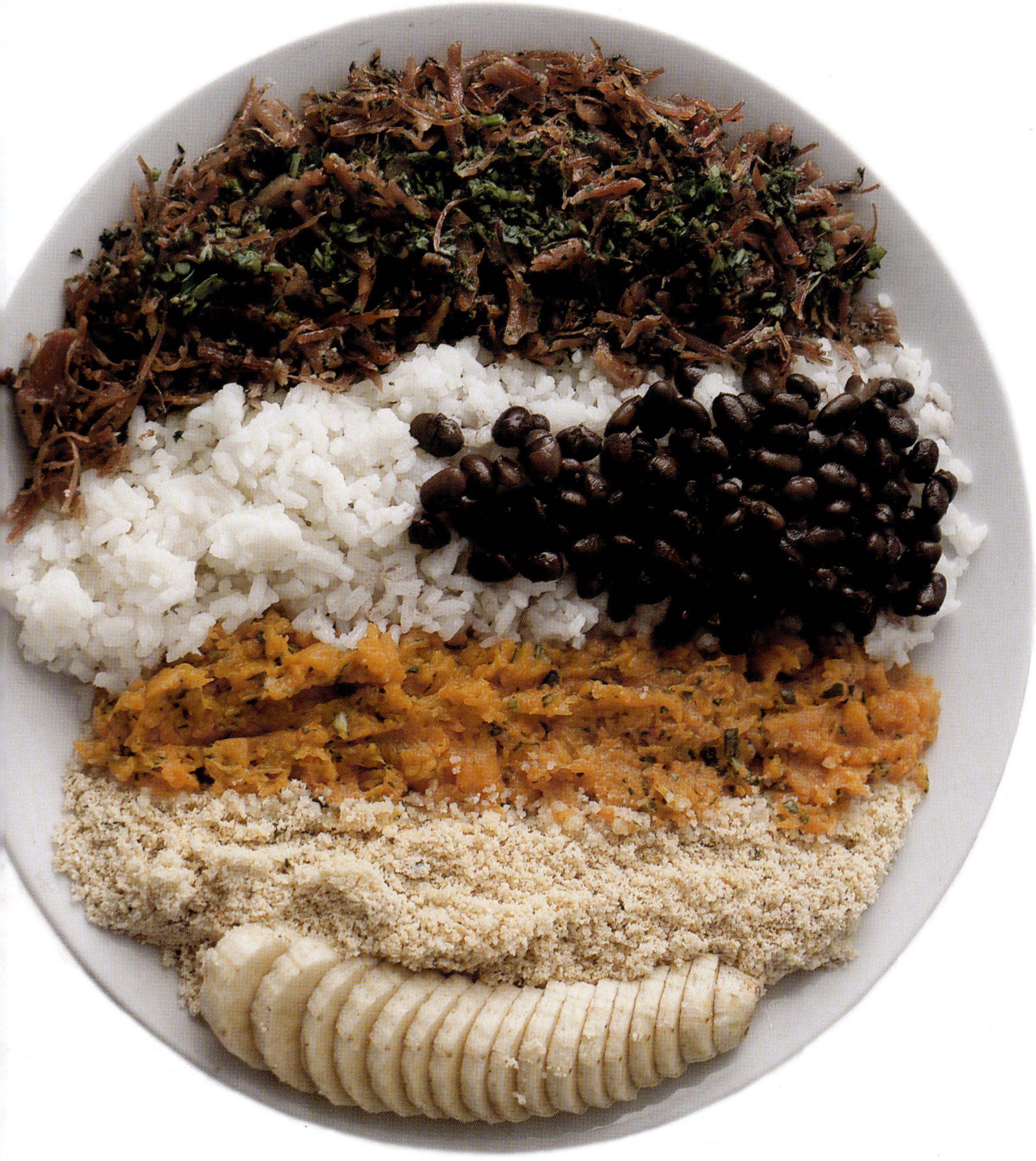

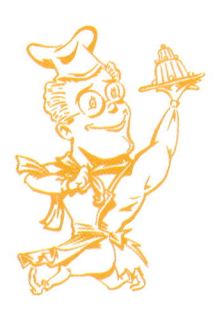

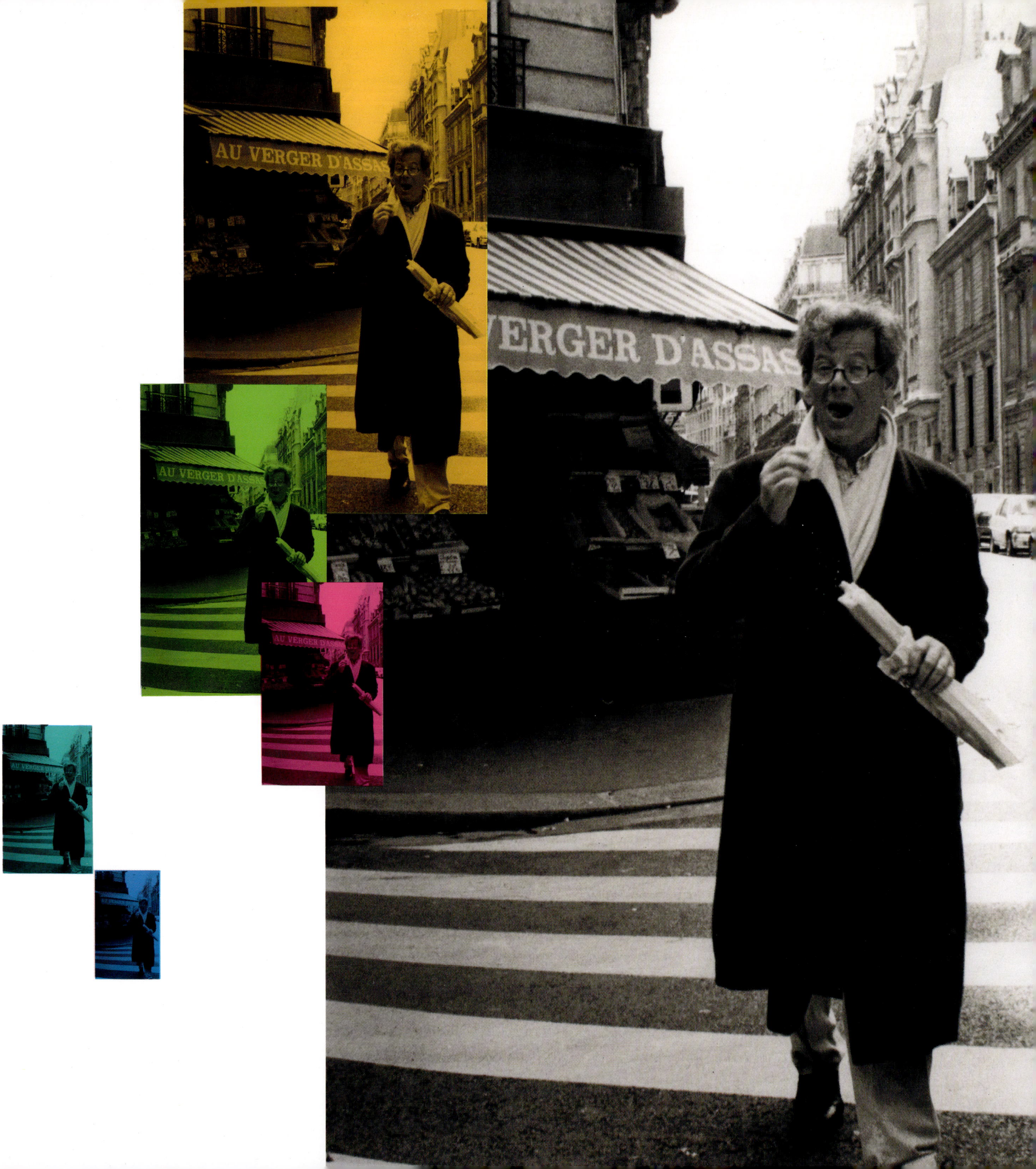
AU VERGER D'ASSAS
VERGER D'ASSAS

5.
A gorda

É ele sim. Tenho certeza... Os mesmos óculos, o mesmo cabelo grisalho... Traidor! Sabia que não podia confiar nele...

Quando comecei a freqüentar as reuniões dos Vigilantes do Peso estava com 120 quilos. Já tinha tentado de tudo: regime do astronauta, regime dos 14 dias, só frutas, só verduras, só água... Já na primeira semana emagreci um quilo. Obesidade é um fardo difícil de carregar. Um peso, mesmo... Na segunda reunião, 800 gramas. O fato é que me envolvi com a coisa. Reeducação alimentar... Proteínas e frutas e porções racionais. Em seis meses, 20 quilos. Em um ano, eu era a monitora das reuniões dos Vigilantes do Peso.

Uma vez por semana, eu e mais 50 pessoas nos encontrávamos num amplo salão e trocávamos experiências sobre como conter a gula e como fingir que o Sonho de Valsa não existe. Trocávamos também receitas saborosíssimas: verduras cozidas em água e sal com carne de soja ou fondue de queijo cottage para as noites de frio. Mas, na verdade, estávamos lá para vigiar mesmo. Ninguém perdia ou ganhava um grama sem que tivesse que enfrentar uma grande vaia ou ovação...

Um dia ele chegou timidamente, escondido atrás dos óculos de lentes grossas. Disse que precisava emagrecer uns 10 quilos. Assistiu à reunião em silêncio. Em uma semana emagreceu um quilo e meio. Estava tenso quando subiu na balança. Mas foi aplaudido no final da pesagem.

O tempo foi passando e Carlos acabou se tornando o centro das atenções em todas as reuniões. Mesmo timidamente, pedia a palavra diversas vezes para dar toques e temperos nas receitas recomendadas pelos Vigilantes. Foi aí que comecei a desconfiar dele. As mãos. Tinha a ver com as mãos...

Cada vez mais magro, Carlos monopolizava todas as atenções. Sempre aparecia com novas receitas de baixa caloria... e com sabor! Tinha algo de errado naquilo. Ao final de cada reunião, todas as cadeiras estavam voltadas para o canto em que ele se sentava. A cada nova receita eu observava suas mãos. Tinham uma destreza de *gourmet*. Elas se movimentavam como se ingredientes imaginários flutuassem no ar. Aquele não era um Vigilante do Peso comum...

Um dia, Carlos atingiu seu peso ideal. Sem muitas despedidas, abandonou o nosso grupo. Instaurou o sabor em nossas dietas e foi embora sem maiores explicações... O grupo ainda sente a sua falta. Mas, para mim, aquele rapaz quase ameaçou todo o equilíbrio de nossas sessões de dieta.

Agora, de dentro do carro, vi Carlos andando pela calçada. Chamei mas ele não me ouviu. Suas mãos estavam vivas como sempre. Mãos de *gourmet*. Acompanhei seu passos – afinal sou uma Vigilante! De repente, a surpresa. Carlos entrou num restaurante. Um restaurante! E não eram nem 11 horas da manhã! Tanto esforço para emagrecer... e cair assim em tentação! Olhei para a placa do restaurante: Charlô.

Segui pelo trânsito confuso de São Paulo mas não consegui tirá-lo da cabeça. Sempre disse que ele não era confiável. Eu sabia. Traidor!

Além de perder dez quilos, minha passagem pelos Vigilantes do Peso rendeu a inclusão de alguns pratos *lights* no menu do restaurante. Só não consegui fazer uma sobremesa *diet* – doce, para mim, tem de ter açúcar, creme, chocolate, cobertu-

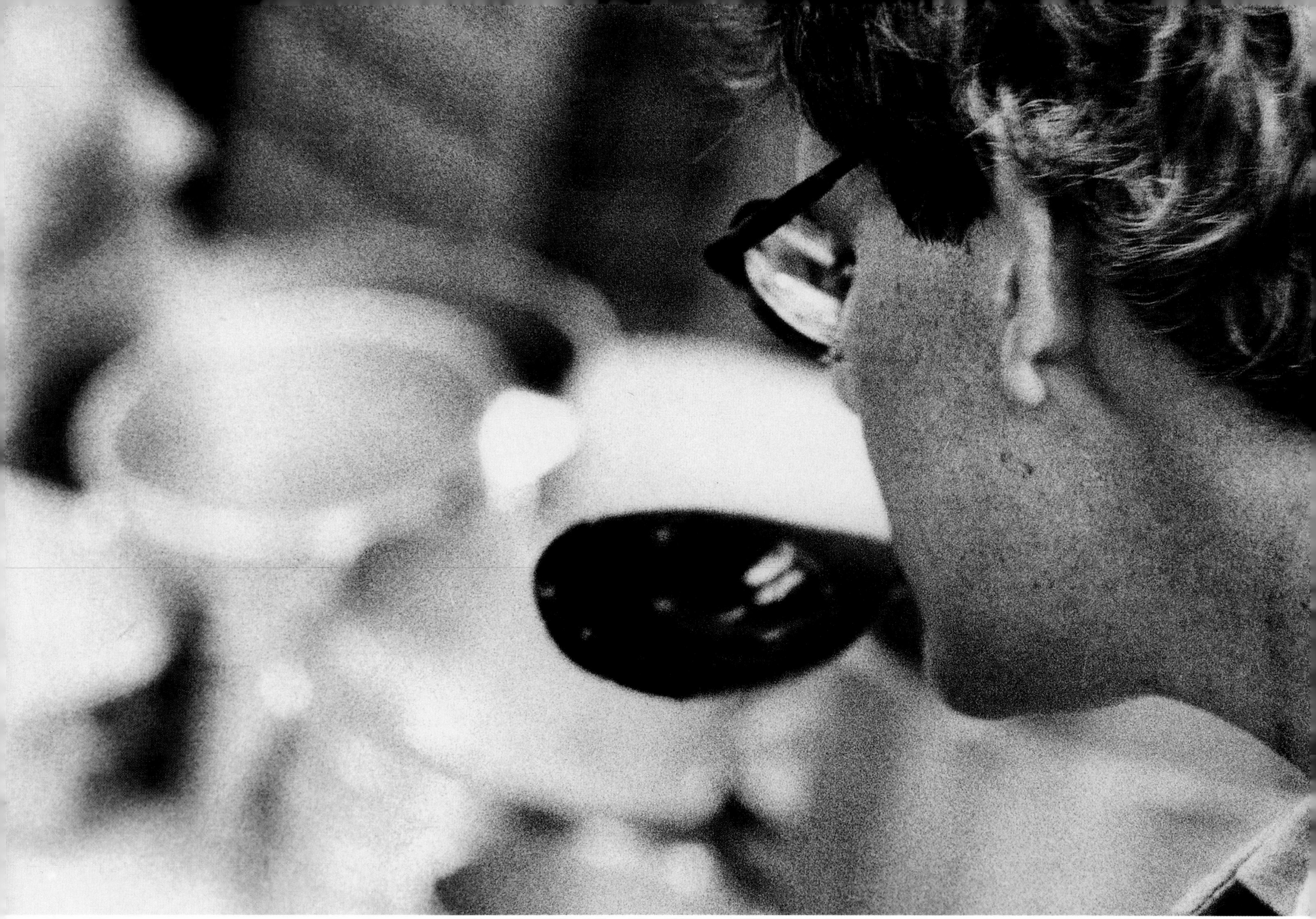

40. Crème brûlée

7 gemas
500 g de creme de leite fresco
2 colheres (chá) de essência de baunilha
1 colher (sopa) de açúcar

Passe as gemas pela peneira. Acrescente o creme de leite, a essência de baunilha e o açúcar. Leve ao fogo em banho-maria de água fervente, mexendo sempre até engrossar. Distribua em forminhas de louça individuais e leve à geladeira por 2 horas, até ficarem firmes. Salpique com açúcar e queime com um maçarico. Leve à geladeira até a hora de servir.

Para 6 a 8 pessoas

41. Sopa de morango

1 kg de morango
125 g de açúcar
2 colheres (sopa) de suco de limão
1 colher (chá) de maisena

Cozinhe os morangos, o açúcar e o limão em fogo baixo. Quando soltar bastante líquido, acrescente a maisena e deixar ferver por alguns minutos. Bata no liquidificador. Deixe esfriar antes de servir. Sirva com sorvete de creme ou creme chantilly.

Para 10 pessoas

42. Peras com calda de chocolate

Para as peras
6 peras
300 ml de água
150 g de açúcar
1 colher (chá) de essência de baunilha

Para a calda de chocolate
2 xícaras de chocolate em pó
1 xícara de açúcar
1 litro de leite
100 g de manteiga

Prepare as peras: descasque as peras, deixando o cabinho. Cozinhe-as na água com o açúcar e a baunilha até ficarem macias. Deixe esfriar na própria calda.

Prepare a calda de chocolate: misture todos os ingredientes e leve ao fogo baixo por 10 minutos, mexendo de vez em quando. Sirva as peras frias com a calda quente.

Para 6 pessoas

Marco Mariutti, Betina Ferreira, o garotinho Ricardo e Charles Whately

43. Apple crumble

6 maçãs em fatias
100 g de nozes picadas
100 g de manteiga gelada
100 g de farinha de trigo
100 g de açúcar mascavo

Distribua a maçã em forminhas refratárias individuais. Salpique com as nozes. Misture a manteiga, a farinha de trigo e o açúcar mascavo, formando uma farofa. Distribua igualmente sobre as forminhas. Leve ao forno médio (180ºC), preaquecido, por 15 minutos.

Para 8 pessoas

44. Ambrosia

2 litros de leite
300 g de açúcar
1 canela em pau
4 ovos batidos

Em uma panela, junte o leite, o açúcar e a canela e leve ao fogo. Quando ferver, abaixe o fogo e jogue os ovos batidos. Quando estiverem cozidos, corte-os em pedaços e vire-os no leite. Deixe em fogo bem baixo por aproximadamente 1 hora e meia até o ponto de doce de leite mole.

Para 8 pessoas

45. Pudim de damasco com crocante de amêndoas

Para o pudim
100 g de damasco seco azedo (tipo chileno, argentino ou espanhol)
6 claras em temperatura ambiente
1 pitada de sal
3/4 de xícara de açúcar
1/2 colher (chá) de casca de limão picada

Para o crocante de amêndoas
1 colher (sopa) de manteiga
1 xícara de açúcar
1 xícara de amêndoas sem pele, torradas e picadas

Prepare o pudim: cubra os damascos com água e leve para cozinhar em fogo baixo, com a panela tampada, até ficarem bem macios. Retire, deixe esfriar um pouco e bata-os no liquidificador ou no processador de alimentos até obter um purê. Bata as claras em neve com o sal. Junte o açúcar e bata até obter um suspiro bem firme. Acrescente a casca de limão e o purê de damascos e mexa delicadamente. Distribua em uma fôrma de pudim de 25 cm de diâmetro untada com manteiga e polvilhada com açúcar. Leve em forno médio (180°C), preaquecido, por aproximadamente 30 minutos ou até que, enfiando uma faca, ela saia limpa. Retire do forno e desenforme depois de frio.

Prepare o crocante de amêndoas: em uma panela, derreta a manteiga e o açúcar em fogo baixo até caramelizar. Acrescente as amêndoas e misture. Despeje sobre uma superfície untada com manteiga e deixe esfriar. Cubra com um pano de prato e bata bem, até ficar em pedacinhos. Sirva o pudim salpicado com o crocante de amêndoas e acompanhado de chantilly.

Para 8 a 10 pessoas

46. Papo-de-anjo

9 gemas
1/2 colher (chá) de fermento em pó
600 g de açúcar
1 litro de água
1 colher (chá) de essência de baunilha

Bata as gemas com o fermento até embranquecer. Distribua em fôrmas de empada untadas e leve ao forno quente (220ºC), preaquecido, por 10 a 15 minutos. Leve o açúcar, a água e a essência de baunilha ao fogo e deixe ferver até formar uma calda não muito grossa. Desenforme os papos-de-anjo e jogue-os na calda, para ficarem bem embebidos.

Para 6 pessoas

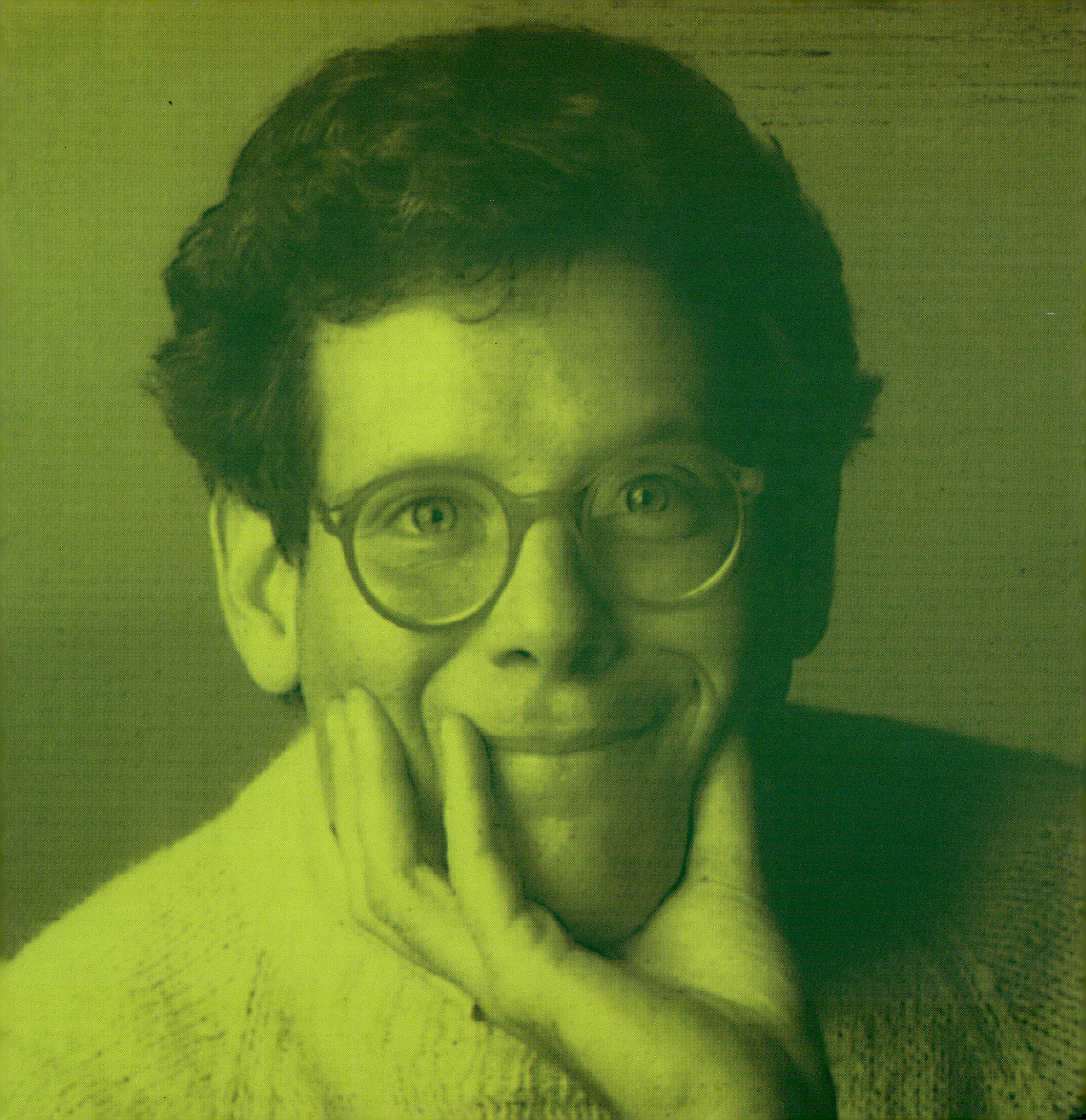

6.
O ajudante de cozinha

Me entrevistar? Claro. E vai ao ar em que canal? Ah, não é para TV... Um livro? Um livro sobre o Charlô? Era só o que me faltava... Já não basta aparecer na Joyce todo dia? Se eu conheço o Charlô? Claro que conheço. Ele deve muito a mim. Ajudei-o muito... Trabalho no restaurante dele. Sou o ajudante de cozinha. Talvez o título não dê a noção exata do que isso significa. Significa muito, pode apostar. Sou uma peça-chave. Posso não ser chefe de cozinha nem *maître*... Posso não ter panca de francês, mas nada disso aqui funciona sem a minha ajuda. Portanto exijo o devido reconhecimento.

Sabe quantos milímetros de espessura deve ter uma fatia de carpaccio? Eu sei. Sabe quantos gramas de caviar vão sobre cada *bligni*? Pois eu sei. Sou o encarregado das entradas. Sabe as entradas? Aquelas que te fazem ingressar num mundo de sonho. Aquelas que preparam os olhos, estimulam o olfato, acariciam o paladar... É, aquelas mesmo. Sabe quem é que monta essas pequenas jóias? Eu.

Você gosta delas, não é? Todo mundo gosta. Todo mundo adora entrada. Só que nunca lembra dela. Depois de enfrentar um belo prato principal, uma sobremesa daquelas e ainda um cafezinho, quem vai se lembrar que a entrada era uma obra-prima?

É assim mesmo. Ninguém se lembra da emoção que foi pegar pela primeira vez na mão de uma garota, porque logo em seguida já vai enfiando a mão no resto todo. É uma injustiça. Ouço o tempo inteiro pela janela da cozinha: "O risoto estava delicioso!

Adorei a pasta!"... E eu pergunto: e a entrada? As pessoas não sabem valorizar as sutilezas.

É a mesma coisa com a minha profissão. Os clientes sempre vêm aqui na cozinha para gritar: "Cumprimentos ao *chef* ! Parabéns para o *chef* !..." Será que alguém pode me explicar por que quando um jantar agrada só cumprimentam o *chef* ? Quer dizer, o ajudante de cozinha põe a mão na massa e o *chef* é quem leva a fama...

Pois eu te digo: a única diferença entre um *chef* e um ajudante é o monograma no avental. E a pilha de pratos para lavar. Ser *chef* é receber elogio pelos outros.

Se você, além de *chef*, é também o dono do restaurante, então melhor ainda. Todo mundo te paparica, puxa o saco. Você fica famoso. Sai todo dia em jornal, revista. Escrevem até livro sobre você! Te entrevistam, te fotografam...

É, mas enquanto o dono do restaurante está lá, todo bacana, posando pra foto em Paris, quem é que fica aqui medindo a espessura do carpaccio? Eu! Eu aqui, ó! E vê se tem alguém escrevendo livro sobre mim. Vê se alguém quer contar histórias sobre o dia-a-dia fascinante de um ajudante de cozinha. Que nada!

Digo mais: se não fosse por mim não tinha esse sucesso todo, não. Se você quer saber, se não existisse o ajudante de cozinha não existiria nem esse livro aí que você está escrevendo.

Pois já vou avisando: é bom que tenha neste livro um capítulo só para as entradas. Senão nem compro. Senão escrevo o meu próprio livro e conto a verdadeira história do Charlô...

A seguir, o imprescindível capítulo das entradas

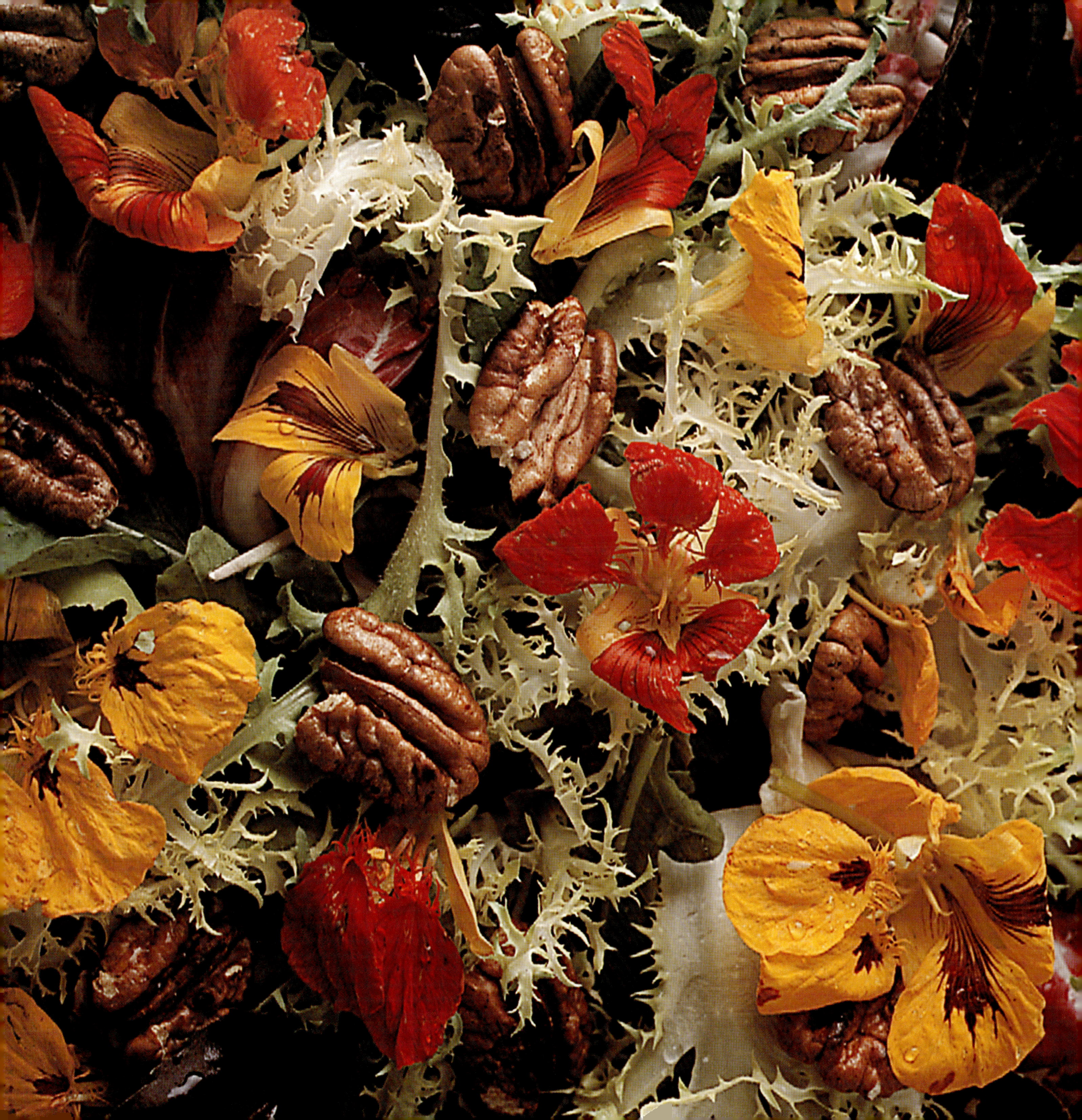

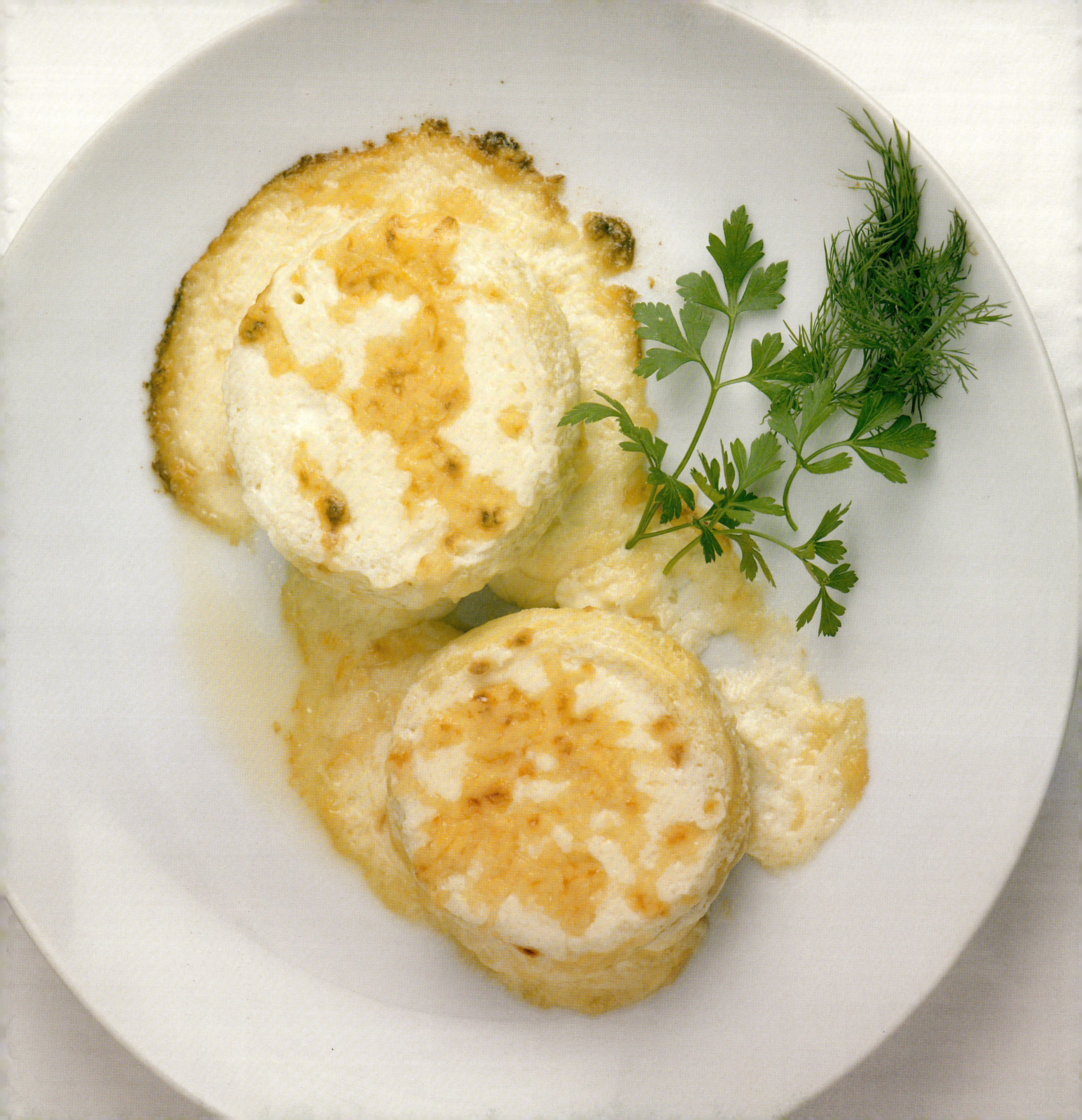

47. Alcachofra gratinada

2 fundos de alcachofra limpos
sal e pimenta-do-reino
200 ml de molho de creme de leite
50 g de queijo parmesão ralado grosso

Coloque os fundos de alcachofra em uma assadeira ou prato refratário. Tempere com sal e pimenta-do-reino. Cubra com o molho de creme de leite. Polvilhe com o queijo parmesão. Leve ao forno quente (220°C), preaquecido, até que o queijo esteja bem dourado. Sirva imediatamente.

Para 1 pessoa

48. Molho de creme de leite

200 g de manteiga
50 g de farinha de trigo
1 litro de creme de leite fresco
50 ml de vinho branco
1 cubo de caldo de galinha
sal e pimenta-do-reino

Derreta a manteiga em uma panela. Acrescente a farinha de trigo e misture. Abaixe o fogo e adicione o creme de leite, aos poucos, mexendo rapidamente. Junte o vinho branco e o caldo de galinha. Tempere com sal e pimenta-do-reino. Cozinhe em fogo baixo até engrossar.

49. Salada de endívia com salmão marinado

Para o salmão
1 colheres (sopa) de sal grosso
24 grãos de pimenta-do-reino branca socados
1 colher (chá) de vodka
2 filés de salmão fresco com a pele
ramos de dill

Para a salada
9 folhas de endívia
8 fatias de salmão marinado
molho de mostarda com dill
molho de azeite e limão

Prepare o salmão: misture o sal grosso, a pimenta-do-reino e a vodka. Tempere o salmão com essa mistura. Em uma tigela, disponha um dos filés, cubra com um grossa camada de dill e coloque o outro filé por cima. Cubra e coloque um peso sobre os filés. Deixe na geladeira no mínimo por 24 horas, virando os filés de vez em quando. Raspe o tempero antes de servir.

Prepare a salada: em um prato, arrume 8 folhas de endívias. Coloque sobre cada folha uma fatia de salmão marinado. Do outro lado do prato, disponha a folha restante com o molho de mostarda com dill. Regue a salada com o molho de azeite e limão.

Para 1 pessoa

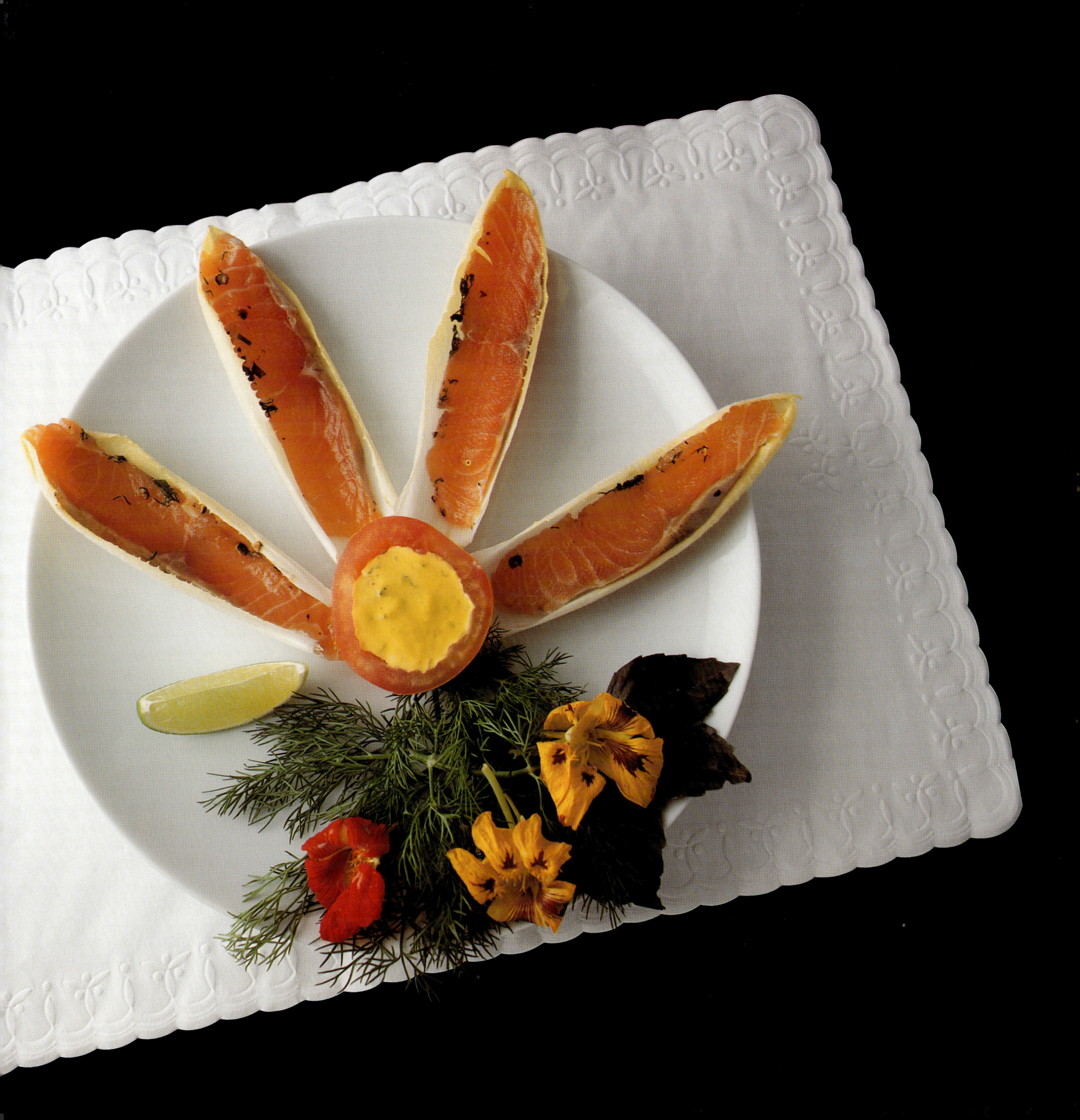

50. Salada de alface americana, abacate e kani

1 alface americana pequena cortada à julienne
50 g de abacate em lascas
2 colheres (sopa) de molho rosé
100 g de kani kama desfiado
2 colheres (sopa) de molho de mostarda

Em um prato, distribua a alface e o o abacate. Cubra com o molho rosé. Disponha o kani e cubra com o molho de mostarda.

Para 1 pessoa

51. Molho de mostarda

100 ml de mostarda
1/2 colher (sopa) de açúcar
1/2 colher (chá) de sal
100 ml de água
50 ml de azeite
30 ml de vinagre

Bata todos os ingredientes no liquidificador.

52. Molho de mostarda com dill

4 colheres (sopa) de mostarda
1 colher (sopa) de dill picado
1/2 colher (sopa) de açúcar

Misture todos os ingredientes.

53. Molho de azeite e limão

4 colheres (sopa) de azeite
1 colher (sopa) de suco de limão

Misture todos os ingredientes.

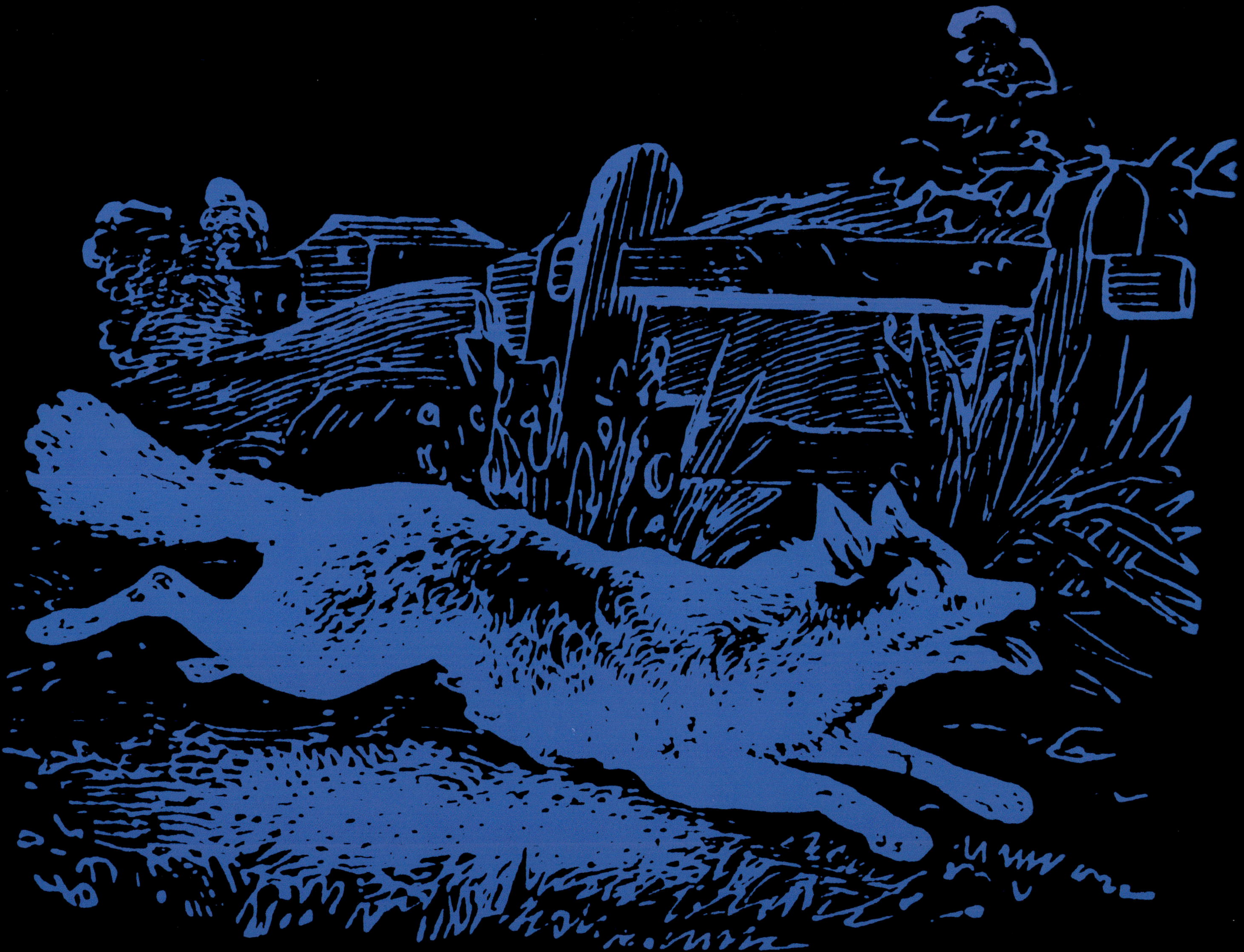

54. Salada verde com pato, brie e pignoli

2 folhas de alface frisée
2 folhas de alface mimosa roxa
2 folhas de alface mimosa verde
2 folhas de escarola
2 folhas de rúcula
2 galhinhos de agrião
2 folhas de endívia
2 folhas de radicchio
100 g de queijo brie em cubos de 2 cm
1 coxa ou sobrecoxa de pato desfiada
15 pignolis torrados
3 colheres (sopa) de molho de mostarda de Dijon

Em um prato, distribua as folhas e acrescente o queijo brie, o pato e o pignoli. Regue com o molho de mostarda de Dijon.

Para 1 pessoa

55. Molho de mostarda de Dijon

200 ml de azeite
2 colheres (sopa) de mostarda de Dijon em grãos
100 ml de vinagre balsâmico
1 pitada de açúcar
sal

Misture todos os ingredientes.

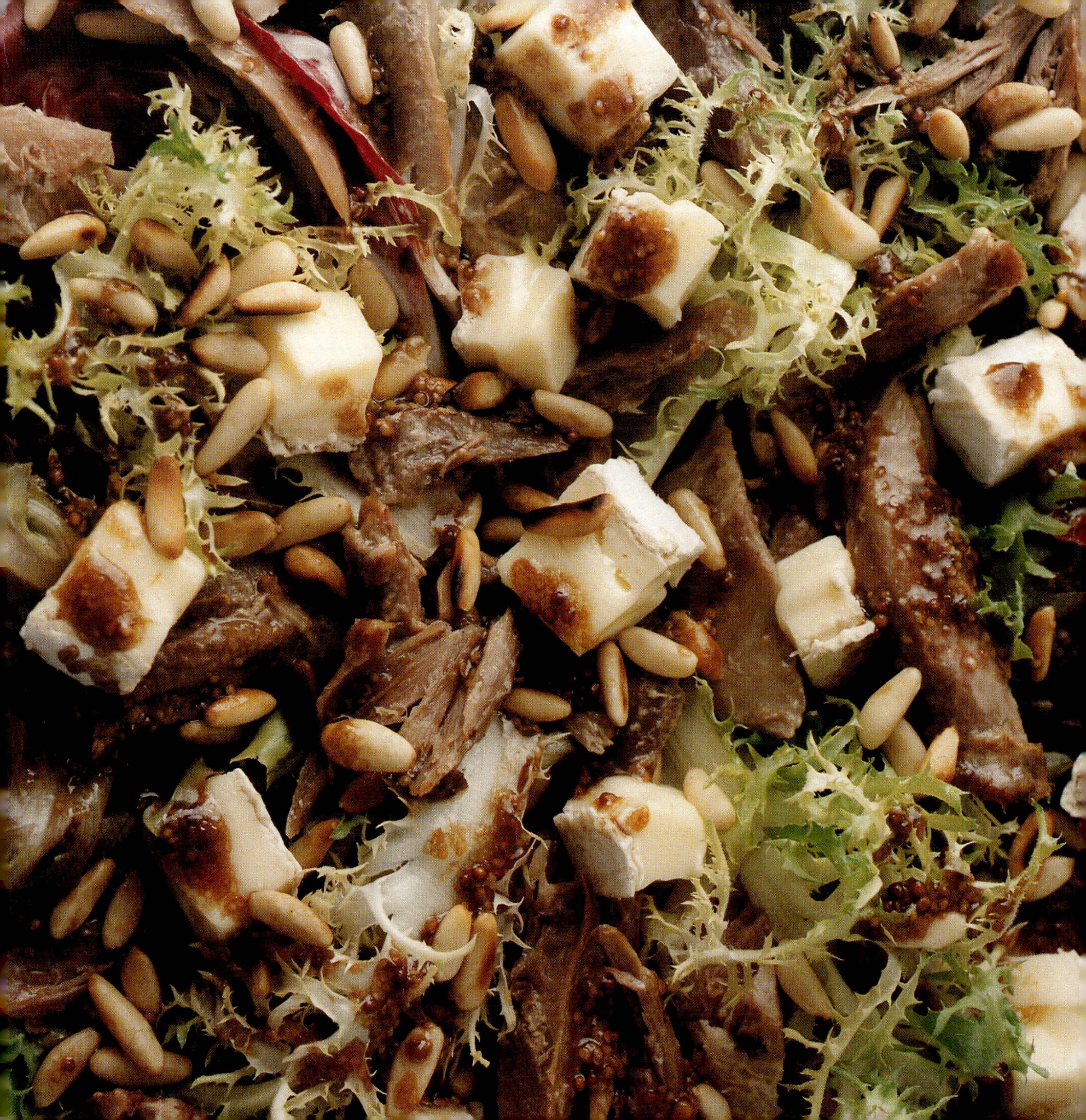

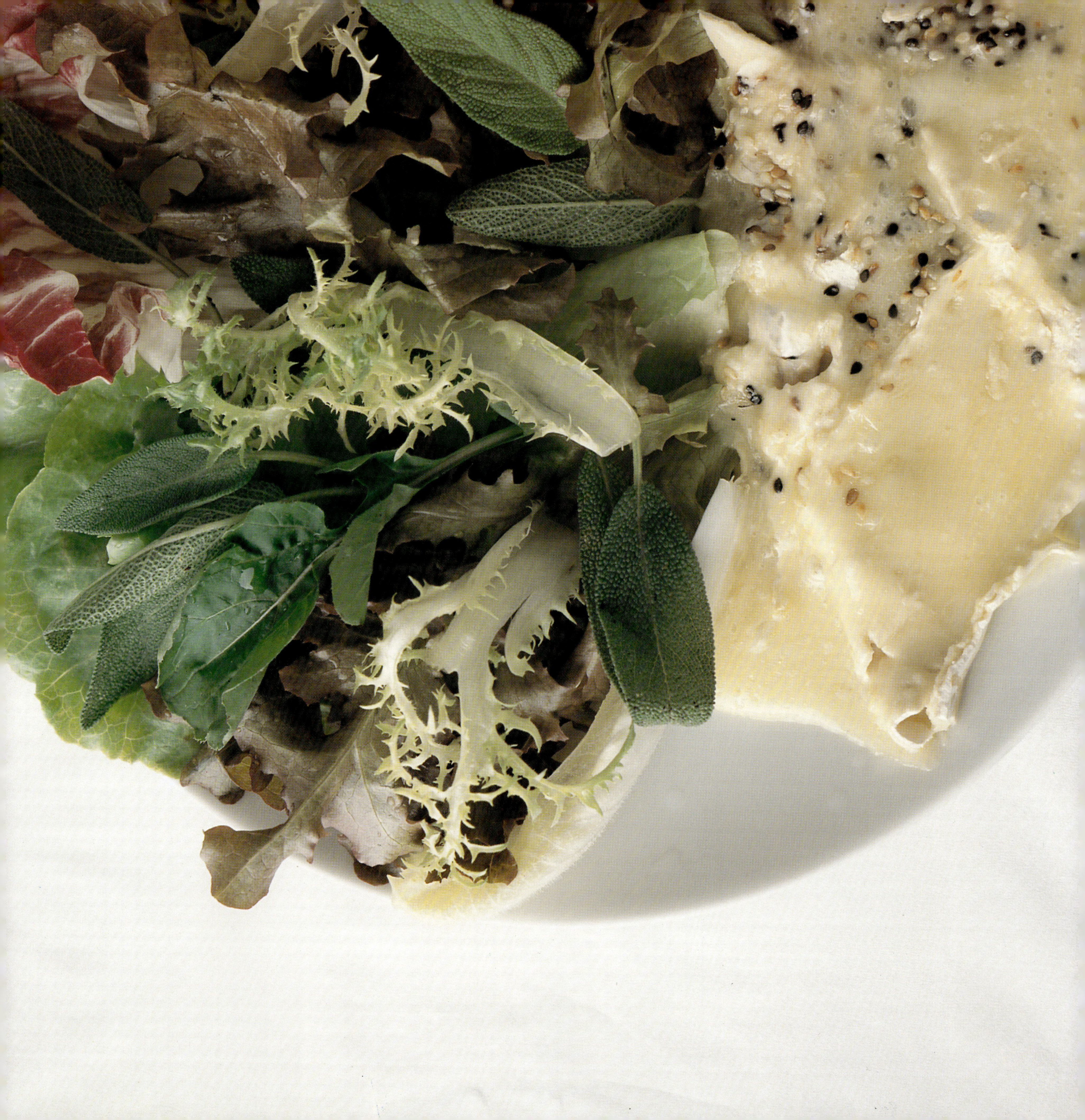

56. Brie quente com salada verde

2 folhas de alface crespa
2 folhas de alface frisée
2 folhas de alface mimosa roxa
2 folhas de alface mimosa verde
2 folhas de escarola
2 folhas de rúcula
2 galhinhos de agrião
2 folhas de endívia
2 folhas de radicchio
150 g de queijo brie
1 colher (sopa) de gergelim branco e preto
molho de azeite e limão (receita na página 88)

Distribua as folhas em um prato. Disponha o queijo brie salpicado com gergelim em outro prato e leve para derreter no microondas por 1 minuto em potência forte. Coloque o queijo brie ao lado das folhas. Sirva imediatamente.

Para 1 pessoa

57. Sopa de abóbora

1 kg de abóbora em cubos
1 cebola média em pedaços
3 colheres (sopa) de manteiga
2 cubos de caldo de galinha
500 ml de leite
250 ml de creme de leite fresco
sal e pimenta-do-reino
1 pitada de açúcar

Refogue a abóbora com a cebola na manteiga. Adicione água suficiente para cobrir e os cubos de caldo de galinha. Cozinhe até a abóbora ficar bem macia. Bata no liquidificador e volte à panela. Acrescente o leite e o creme de leite e aqueça a sopa. Tempere com sal e pimenta-do-reino e o açúcar. Sirva acompanhada de pipoca.

Para 4 a 6 pessoas

58. Sopa de alho-poró

3 alhos-porós em rodelas
3 litros de caldo de galinha
sal e pimenta-do-reino
250 ml de creme de leite fresco
100 g de queijo parmesão ralado

Cozinhe o alho-poró no caldo de galinha até amolecê-lo. Tempere com sal e pimenta-do-reino. Passe pelo processador de alimentos, peneire e volte ao fogo para reduzir um pouco. Na hora de servir, junte o creme de leite e aqueça a sopa. Distribua em pratos refratários individuais, polvilhe com o queijo parmesão e leve ao forno alto (220°C), preaquecido, para gratinar. Sirva acompanhada de torradas.

Para 6 pessoas

59. Sopa de milho com manteiga de camarão

Para a manteiga de camarão
200 g de camarão pequeno sem casca
1/2 cebola pequena picada
1 dente de alho espremido
1/2 colher (chá) de colorífico
2 colheres (sopa) de salsinha picada
sal e pimenta-do-reino
200 g de manteiga em temperatura ambiente

Para a sopa
12 espigas de milho
1 cebola média picada
2 colheres (sopa) de manteiga
1 litro de leite
2 cubos de caldo de galinha
200 ml de creme de leite fresco
sal e pimenta-do-reino

Prepare a manteiga de camarão: refogue o camarão, a cebola, o alho, o colorífico e a salsinha em 1 colher (sopa) de manteiga. Tempere com sal e pimenta-do-reino Deixe esfriar um pouco. Passe pelo processador de alimentos. Adicione, aos poucos, o restante da manteiga e misture. Enrole em papel-alumínio, formando um cilindro de 4 cm de diâmetro, e leve ao freezer por 4 horas.

Prepare a sopa: rale as espigas de milho e passe pela peneira para retirar o suco. Em uma panela, refogue a cebola na manteiga. Abaixe o fogo e acrescente o suco do milho, o leite e os cubos de caldo de galinha. Cozinhe por 10 minutos, mexendo sempre. Adicione o creme de leite. Tempere com sal e pimenta-do-reino.
Distribua a sopa de milho em pratos individuais com 2 fatias de manteiga de camarão por cima.

Para 8 pessoas

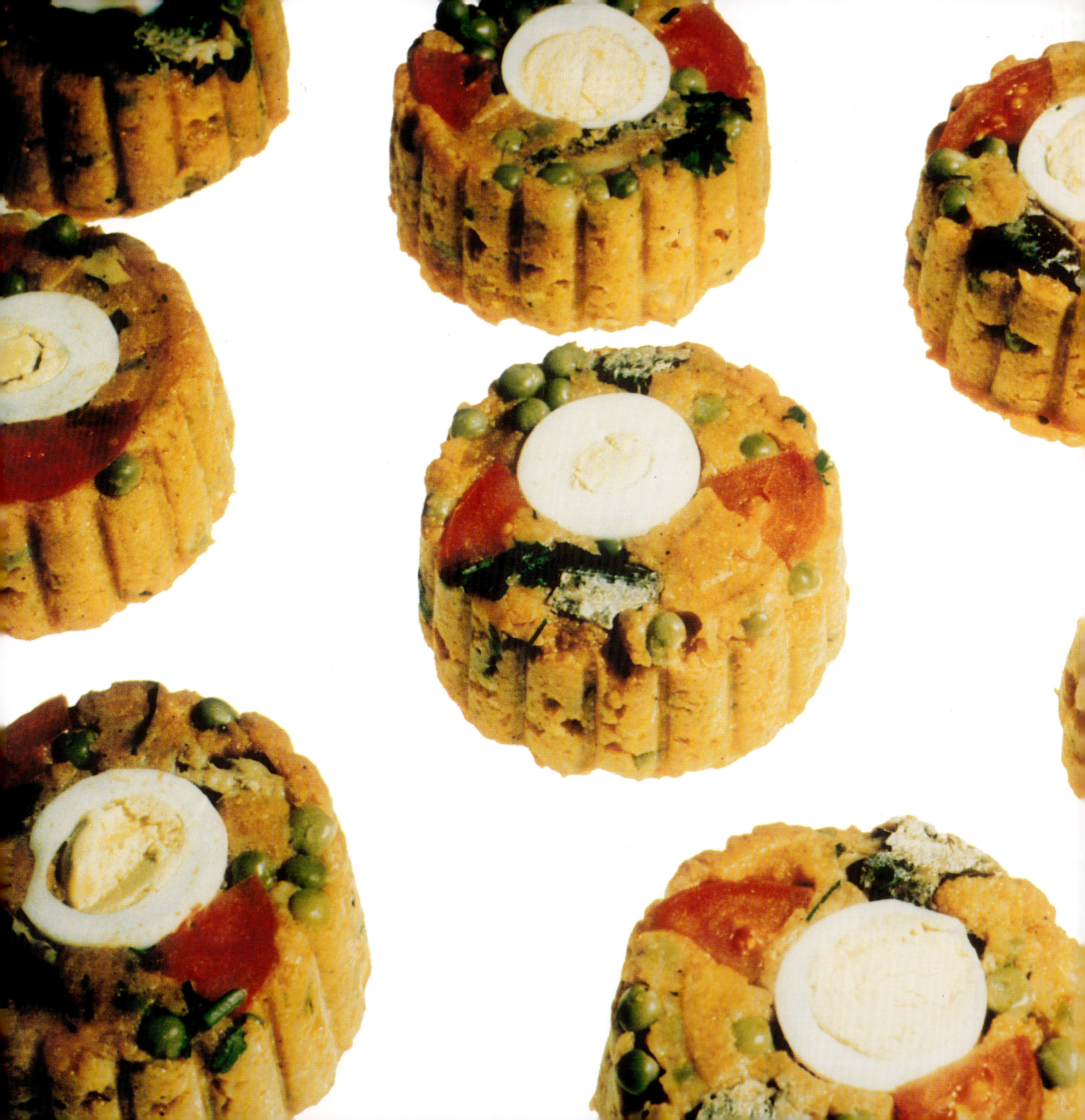

7.
O manobrista

– Boa tarde, doutor! Tem alarme? Pode deixar, doutor, eu tomo cuidado.

Odeio carro com alarme. É a única coisa que me irrita no meu trabalho. O resto eu tiro de letra. Arrumo uma vaga legal, tomo conta, distraio o DSV...

– Boa tarde, doutor!

Esse é gente fina. Vem aqui desde que a casa abriu. Acho que conheci todos os carros dele. Só carrão. Todos importados, freio ABS, cedê plêier, êr bags, essas coisas... Uma vez tive que descolar uma embalagem de emergência num boteco aí da esquina porque ele resolveu levar um pouco de bacalhau pra casa. Vê se pode...

– Boa tarde, madame!

Essa também vive aqui. Coroa enxuta. Cada vez com um rapaz diferente. Ou ela tem um monte de filhos ou não sei não... Só sei que o carro da mulher cheira que é uma beleza...

Quando a rua tá cheia que nem hoje, eu tenho que ficar esperto. Sim, porque eu sou manobrista, mas tenho meus princípios. Carro em cima da calçada e fila dupla não tem vez na minha rua. Quer dizer, na rua do restaurante...

– Qual a placa, doutor?

Esse também tá levando comida pra casa. Pelo tamanho da embalagem deve ser uma salada. É, a casa agora tem embalagem própria. Escrito Charlô e tudo mais...

– Brigado doutor!

Agora não preciso mais ir buscar no boteco da esquina. Boa idéia essa. Aquele loirão lá do conversível, por exemplo, vem aqui só pra buscar rosbife. Outro dia começou a chover e eu não sabia fechar aquela capota. Ainda bem que o rosbife já estava encomendado e ele saiu logo, senão eu ia passar vergonha. Sabe como é, manobrista que não sabe pra que lado fica a ré ou não consegue fechar uma capota não é manobrista, é guardador de carro...

– Boa tarde, senhor doutor!

Esse aí é metido a besta que só ele. E o pior é que eu já vi daqui de fora que é a mulher quem paga a conta. E mesmo assim ele faz questão de levar pra casa uma torta salgada ou alguma sobremesa... Ele só paga quando vem com a outra. E, pra compensar. a outra sempre leva uma embalagem pra viagem. E põe na conta dele. Otário.

– Boa tarde, madame! Quê? Se tem carne-seca? Peraí que eu vou lá dentro perguntar. Só me faltava essa. A madame pára o carro no meio da rua e quer saber se dá pra levar carne-seca pra vinte pessoas. Carne-seca pra vinte só se for festa no Piauí!

– Pode entrar, madame, tem sim.

Só quero ver se vai ter embalagem pra isso tudo. Senão vou ter que voltar a freqüentar o boteco da esquina...

– Qual é a placa. doutor?

Pelo tamanho da embalagem ele tá levando sobremesa. Tá ficando perigoso. Se continuarem a levar comida desse jeito não vai sobrar pra mim depois. E sem almoço eu vou pro sindicato! Tô avisando!

– Tira a mão daí, moleque. senão te quebro a cara!

Deixa eu ir lá dentro buscar a carne-seca pra vinte da madame... Eta porta-malas espaçoso! Assim que eu gosto, nada como um importado. Opa! Que quié isso? A madame tá levando a Zezé, nossa santa copeira e musa inspiradora das minhas melhores manobras! Tenha santa paciência! A Zezé tá indo junto com a carne-seca e a sobremesa! Que absurdo! A nega é minha e o que é meu não se divide!

– Como? Pois não, madame... Se eu quero fazer um bico de manobrista?... Quando, madame?... Hoje à noite, madame... Claro, madame... É só me dar o endereço... Brigado, madame... Até mais tarde, hein. Zezé!

Começamos a fazer saladas e alguns pratos que podiam ser levados para casa. Os clientes aprovaram e o movimento cresceu. Logo começamos a receber encomendas para festas e pedidos para cardápios especiais. Um belo dia uma freguesa perguntou se podíamos arrumar alguém para servir um jantar. Outra pediu emprestado *réchauds*, e assim por diante. Quando me dei conta era dono de um *buffet*.

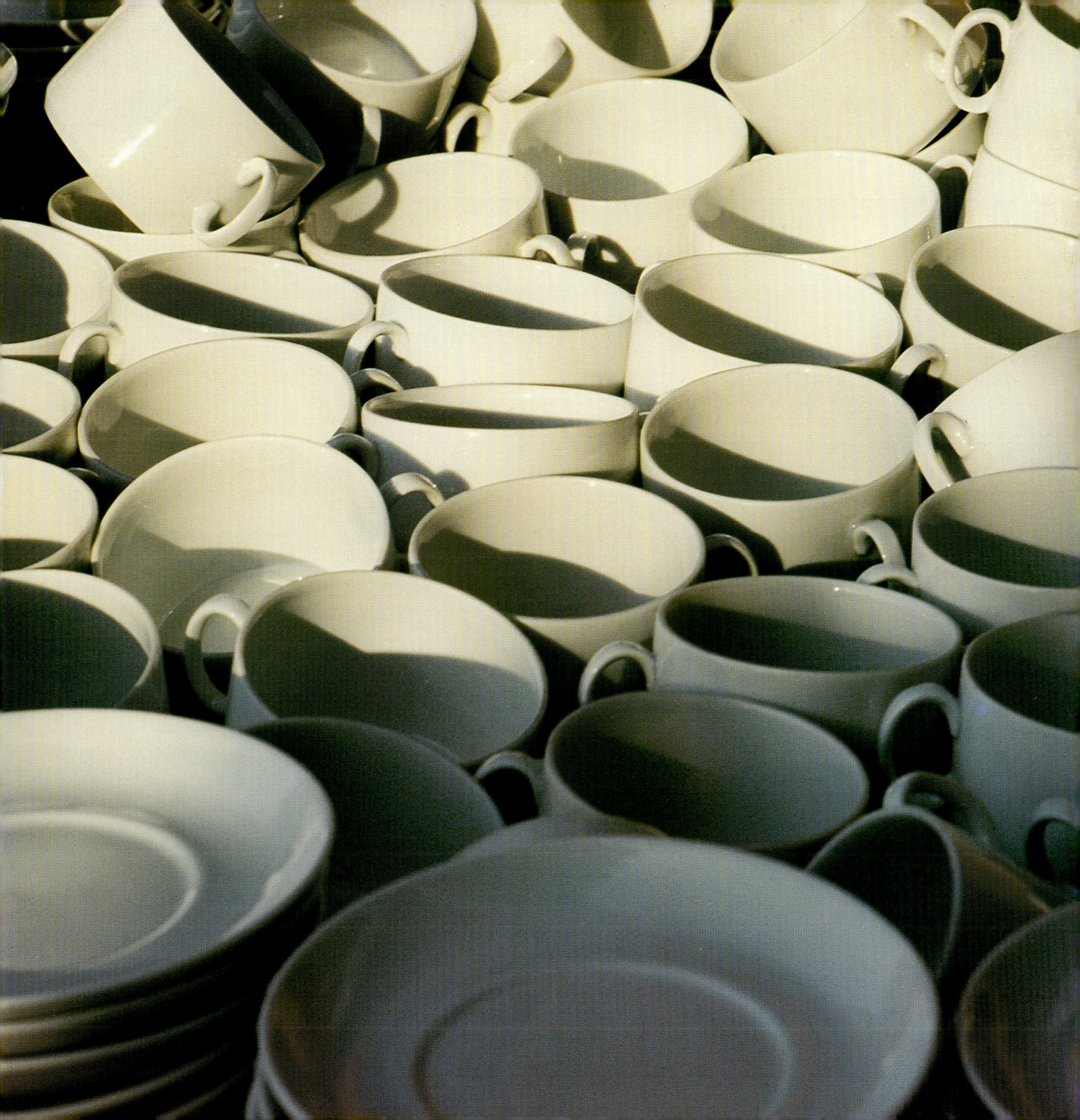

60. Pão caseiro

Para a fermentação
45 g de fermento biológico
1/2 xícara de água morna
2 colheres (sopa) de farinha de trigo
3 colheres (sopa) de açúcar

Para o pão
4 ovos batidos
1 xícara de óleo
1 kg de farinha de trigo
500 g de farinha integral
1 colher (sopa) de sal dissolvido em água
5 xícaras de água morna
1 gema batida

Prepare a fermentação: dissolva o fermento na água. Junte a farinha de trigo e o açúcar. Misture e deixe descansar até borbulhar.

Prepare o pão: coloque o fermento em uma tigela, acrescente os ovos e o óleo. Junte as farinhas e o sal. Adicione aos poucos a água morna, amassando rapidamente com as mãos até a massa soltar dos dedos. Cubra com um pano de prato e deixe em lugar seco até dobrar de tamanho. Para saber se a massa está no ponto, faça uma bolinha e coloque em um copo de água; quando a bolinha subir à superfície, a massa estará crescida. Divida a massa em quatro partes iguais. Distribua em fôrmas de bolo inglês untadas e polvilhadas com farinha de trigo. Deixe crescer novamente. Pincele com a gema batida e leve ao forno quente (220ºC), preaquecido, por 40 minutos.

61. Salada de rúcula, camarão e manga

1 maço de rúcula
2 mangas em tiras
12 camarões cozidos e cortados ao meio no sentido do comprimento
azeite
vinagre balsâmico
sal

Distribua as folhas de rúcula, a manga e os camarões em pratos individuais. Tempere com azeite, vinagre balsâmico e sal.

Para 4 pessoas

62. Presunto de pato com picles de pêra

4 litros de água
350 g de sal grosso
100 g de açúcar
1 colher (sopa) de sal curado ou salitre
12 cravos
6 folhas de louro
6 ramos de tomilho
20 grãos de zimbro
1 pato grande
2 cenouras
1 bouquet garni
2 cebolas com 4 cravos espetados
2 alhos-porós
1 nabo
picles de pêra (receita na página 105)

Misture na água o sal grosso, o açúcar, o salitre, o cravo, o louro, o tomilho e o zimbro. Ferva essa marinada por 15 minutos e deixe esfriar. Em uma tigela, junte o pato e a marinada e deixe macerar por 48 horas. Retire o pato e passe em água corrente. Leve para cozinhar em uma panela com água suficiente para cobri-lo. Junte a cenoura, o bouquet garni, a cebola, o alho-poró e o nabo. Não coloque sal. Deixe cozinhar em fogo baixo por 1 hora e meia. Retire do fogo, tire as peles e corte a carne em fatias. Sirva frio acompanhado de picles de pêra e molho de raiz-forte.

Para 10 pessoas

Sugestão: se quiser servir o pato quente, sirva-o com legumes cozidos no próprio caldo.

63. Torta de cebola e bacon

Para a massa
250 g de farinha de trigo
170 g de manteiga em temperatura ambiente
1 ovo
1 gema
1 colher (sopa) de leite
1 colher (chá) de sal

Para o recheio
30 g de manteiga
500 g de cebola em fatias finas
sal e pimenta-do-reino
1 colher (sopa) de salsinha picada
1 colher (sopa) de cebolinha picada
100 g de bacon frito em cubos

Para o creme
200 ml de creme de leite fresco
200 ml de leite
3 gemas
3 ovos
sal e pimenta-do-reino branca
noz-moscada

Prepare a massa: amasse todos os ingredientes. Abra a massa sobre uma superfície polvilhada com farinha. Forre o fundo e as laterais de uma fôrma de aro removível de 25 cm de diâmetro. Faça furinhos na massa com um garfo e deixe descansar por 2 horas na geladeira.

Prepare o recheio: em uma panela, derreta a manteiga em fogo baixo. Junte a cebola e refogue por alguns minutos. Tempere com sal e pimenta-do-reino e cozinhe em fogo baixo por 1 hora, mexendo de vez em quando (se secar, acrescente um pouco de água). Acrescente a salsinha, a cebolinha e o bacon frito. Mexa, verifique o tempero e reserve.

Prepare o creme: bata todos os ingredientes no liquidificador.
Cubra a massa com papel-alumínio e grãos de feijão crus. Leve ao forno quente (220ºC), preaquecido, por 20 minutos. Retire o papel-alumínio e o feijão. Distribua o recheio sobre a massa e cubra com o creme. Asse em forno médio (180ºC), preaquecido, por 20 minutos ou até que o creme fique firme.

Para 8 pessoas

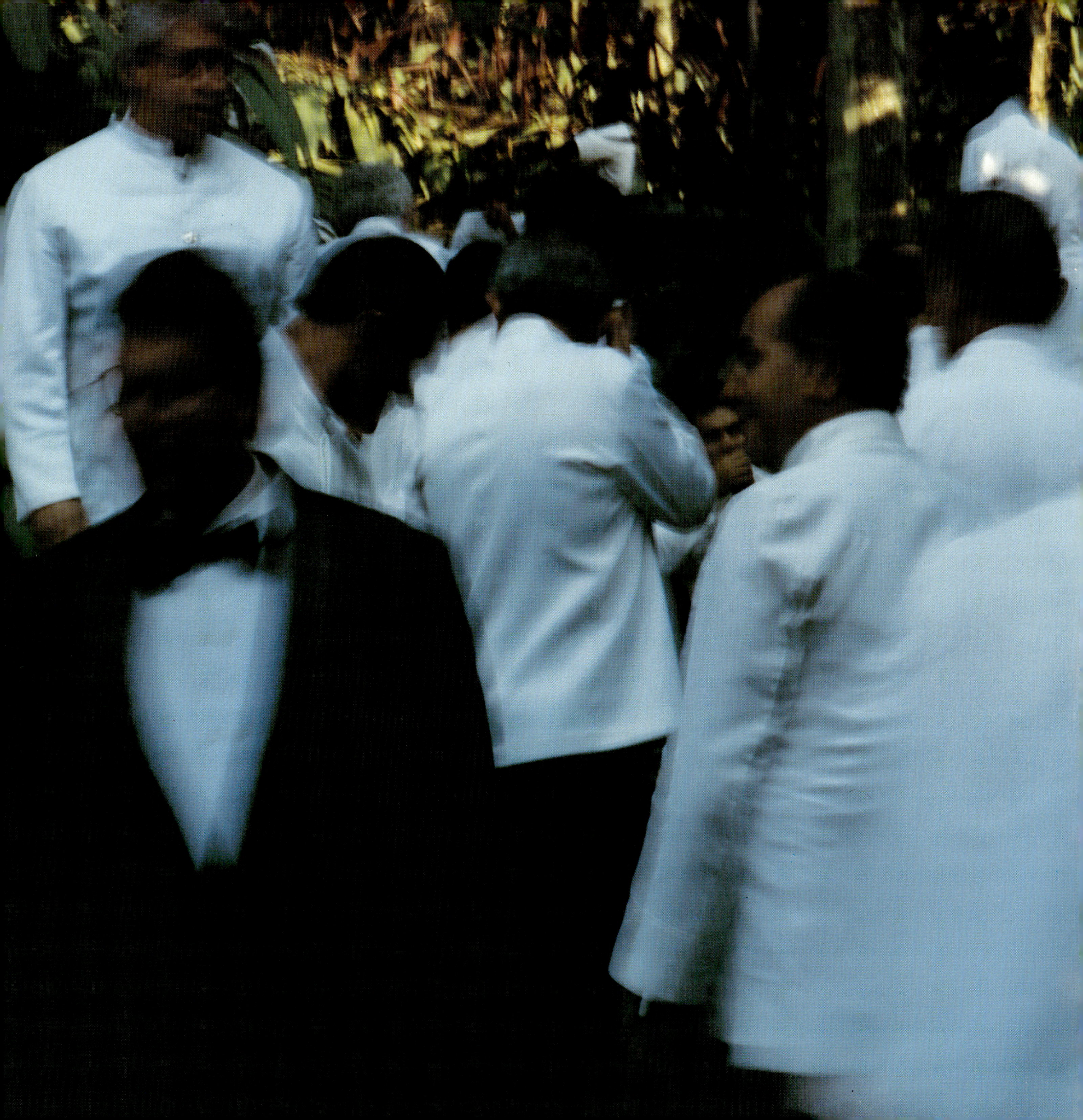

64. Picles de pêra

6 peras grandes
3 xícaras de água
500 g de açúcar
250 ml de vinagre branco (ou vermelho, se quiser que as peras fiquem avermelhadas)
1 colher (chá) de cravos inteiros
1 colher (chá) de allspice
1 pedacinho de noz-moscada ou 7 cm de canela em pau

Descasque as peras, retire o miolo e corte cada uma em oito pedaços. Cubra com a água e junte o açúcar. Deixe ferver em fogo baixo por 5 minutos, coe e meça a calda. Acrescente o vinagre e as especiarias a 600 ml de calda. Despeje sobre as peras e ferva em fogo baixo por 20 a 30 minutos, até que os pedaços estejam cozidos e translúcidos. Coloque em uma tigela e deixe descansar de um dia para o outro. No dia seguinte, coe o líquido e ponha para ferver em fogo baixo por mais 5 minutos até reduzi-lo ligeiramente. Coloque as peras e as especiarias em vidros de conserva mornos e esterilizados. Adicione xarope quente suficiente para cobri-las. Sele os vidros ainda mornos e guarde por pelo menos um mês antes de servir.

65. Kedgeree

2 cebolas pequenas picadas
8 colheres (sopa) de manteiga
400 g de arroz
2 colheres (chá) de curry
sal
4 xícaras de água
700 g de haddock
4 colheres (sopa) de farinha de trigo
pimenta-do-reino branca
3 xícaras de caldo de carne ou de galinha
6 ovos cozidos
salsinha picada

Refogue a cebola em 2 colheres (sopa) de manteiga até ficar translúcida. Acrescente o arroz e o curry e tempere com sal. Cubra com a água e deixe cozinhar em fogo baixo até o arroz ficar macio. Cozinhe o haddock no vapor. Corte em lascas pequenas e reserve. Em outra panela, derreta 2 colheres (sopa) de manteiga, acrescente a farinha de trigo e misture bem. Tempere com um pouco de pimenta-do-reino branca. Retire do fogo e adicione o caldo de carne ou de galinha. Volte ao fogo, mexendo até engrossar. Misture o caldo com o arroz e o haddock, reservando algumas lascas. Cubra com as lascas de haddock reservadas. Salpique as gemas passadas pela peneira e as claras picadinhas. Polvilhe com salsinha.

Para 8 a 10 pessoas

66. Charlotte de damasco

Para a charlotte
2 xícaras de damascos secos azedos (tipo chileno, argentino ou espanhol)
3/4 xícara de açúcar
1/2 xícara de vinho do Porto
1/2 xícara de água
18 biscoitos champanhe

Para o creme
1 pacote de folhas de gelatina incolor
1 xícara de água fria
1 xícara de leite
4 gemas
1 xícara de açúcar
1 colher (chá) de essência de baunilha
500 ml de creme de leite fresco
4 colheres (sopa) de açúcar
4 claras
1 pitada de sal

Prepare a charlotte: deixe os damascos de molho em água suficiente para cobri-los até ficarem macios. Bata-os ligeiramente no liquidificador ou no processador de alimentos, sem deixar formar um purê. Em uma panela, misture os damascos e o açúcar e deixe cozinhar, mexendo de vez em quando, até obter uma geléia. Retire do fogo e deixe esfriar. Misture o vinho do Porto com a água e umedeça os biscoitos. Forre com filme plástico uma tigela. Disponha os biscoitos. Espalhe a geléia sobre os biscoitos.

Prepare o creme: amoleça a gelatina na água fria e deixe descansar por 10 minutos. Bata no liquidificador o leite, as gemas e o açúcar. Retire o excesso de água da gelatina, espremendo com as mãos, e acrescente à mistura de leite e gemas. Leve ao fogo, mexendo até engrossar um pouco. Junte a essência de baunilha. Despeje em uma tigela grande e leve ao freezer até começar a endurecer. Bata o creme de leite e o açúcar em ponto de chantilly. Bata as claras em neve com uma pitada de sal. Retire a mistura de leite e gemas do freezer e acrescente, aos poucos, o chantilly e as claras em neve, mexendo delicadamente. Despeje esse creme sobre os biscoitos, cubra com filme plástico e leve ao freezer por 2 horas. Desenforme.

Para 10 a 15 pessoas

67. Terrine de chocolate com amêndoas

Para a terrine
200 g de manteiga em temperatura ambiente
100 g de açúcar
4 ovos
100 g de chocolate em pó
50 g de cacau em pó
150 g de amêndoas sem pele e picadas

Para o creme
4 gemas
125 g de açúcar
25 g de farinha de trigo
500 ml de leite
2 colheres (chá) de essência de baunilha

Prepare a terrine: bata a manteiga com o açúcar. Acrescente os ovos, o chocolate e o cacau e bata mais um pouco. Junte as amêndoas e misture. Distribua em uma fôrma de bolo inglês (capacidade de 700 g) forrada com papel-alumínio. Leve à geladeira.

Prepare o creme: bata as gemas, o açúcar e a farinha de trigo. Ferva o leite e acrescente à mistura de gemas, batendo ligeiramente. Leve ao fogo baixo, mexendo sempre. Deixe ferver até engrossar, retire do fogo e adicione a essência de baunilha. Deixe esfriar e leve à geladeira.
Desenforme a terrine e sirva com o creme de baunilha.

Para 6 a 8 pessoas

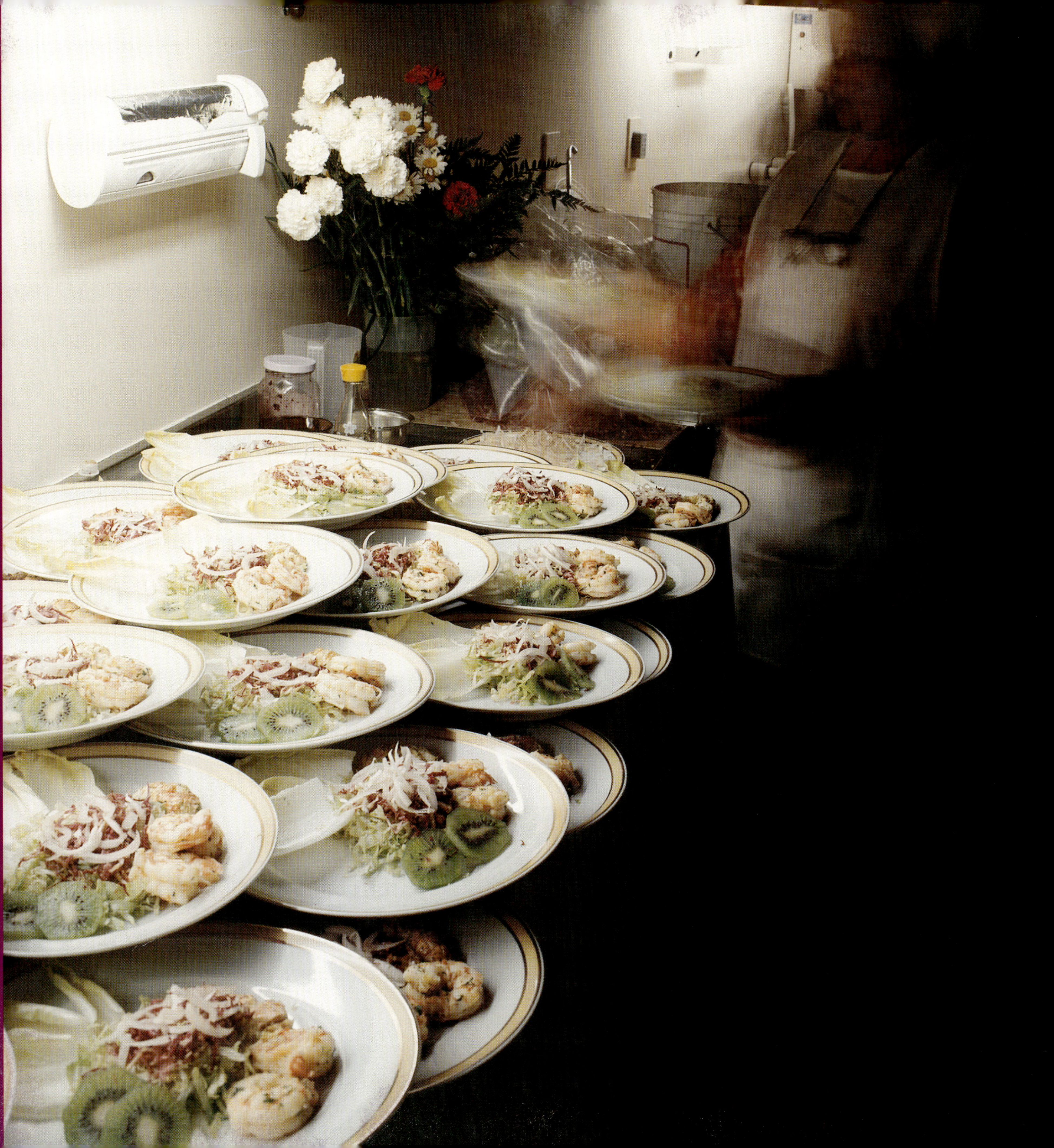

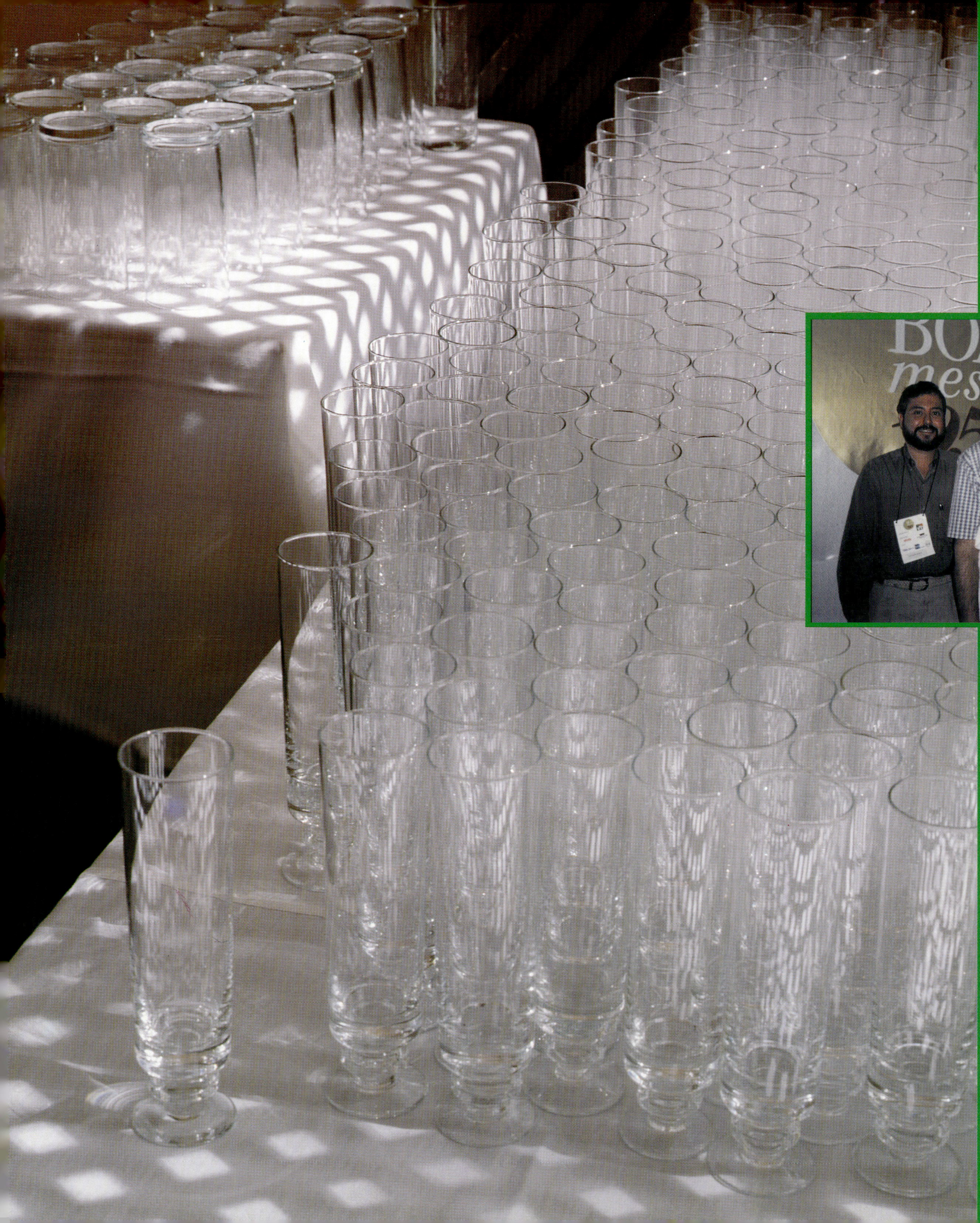

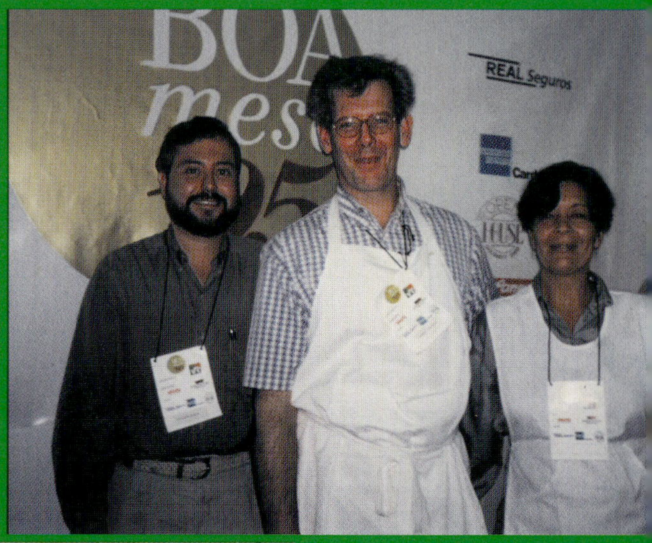
BOA
REAL Seguros

68. Tarte tatin

Para a massa
200 g de farinha de trigo
150 g de manteiga em temperatura ambiente
150 g de açúcar

Para o caramelo
150 g de açúcar
150 g de manteiga
25 maçãs em fatias finas

Prepare a massa: misture todos os ingredientes no processador de alimentos ou no liquidificador e deixe descansar por 30 minutos.

Prepare o caramelo: junte o açúcar e a manteiga em uma fôrma de aro removível de 30 cm de diâmetro. Coloque sobre a chama do fogão e deixe caramelizar. Retire do fogo. Disponha as maçãs enfileiradas e bem juntas. Leve novamente ao fogo por 10 a 15 minutos. Abra a massa sobre uma superfície polvilhada com farinha. Coloque sobre as maçãs. Leve ao forno médio (180ºC), preaquecido, por 1 hora.

Para 15 pessoas

69. Sorvete com farofa de pistache

1 colher (sopa) de manteiga
1 xícara de açúcar
1 xícara de pistache sem casca
1 pitada de corante alimentício em pó verde
sorvete de creme

Em uma panela, derreta a manteiga e o açúcar em fogo baixo até caramelizar. Junte o pistache e o corante, misture e despeje sobre uma superfície untada com manteiga. Quando esfriar, cubra com um pano e bata, formando uma farofa. Sirva com sorvete de creme.

Para 6 pessoas

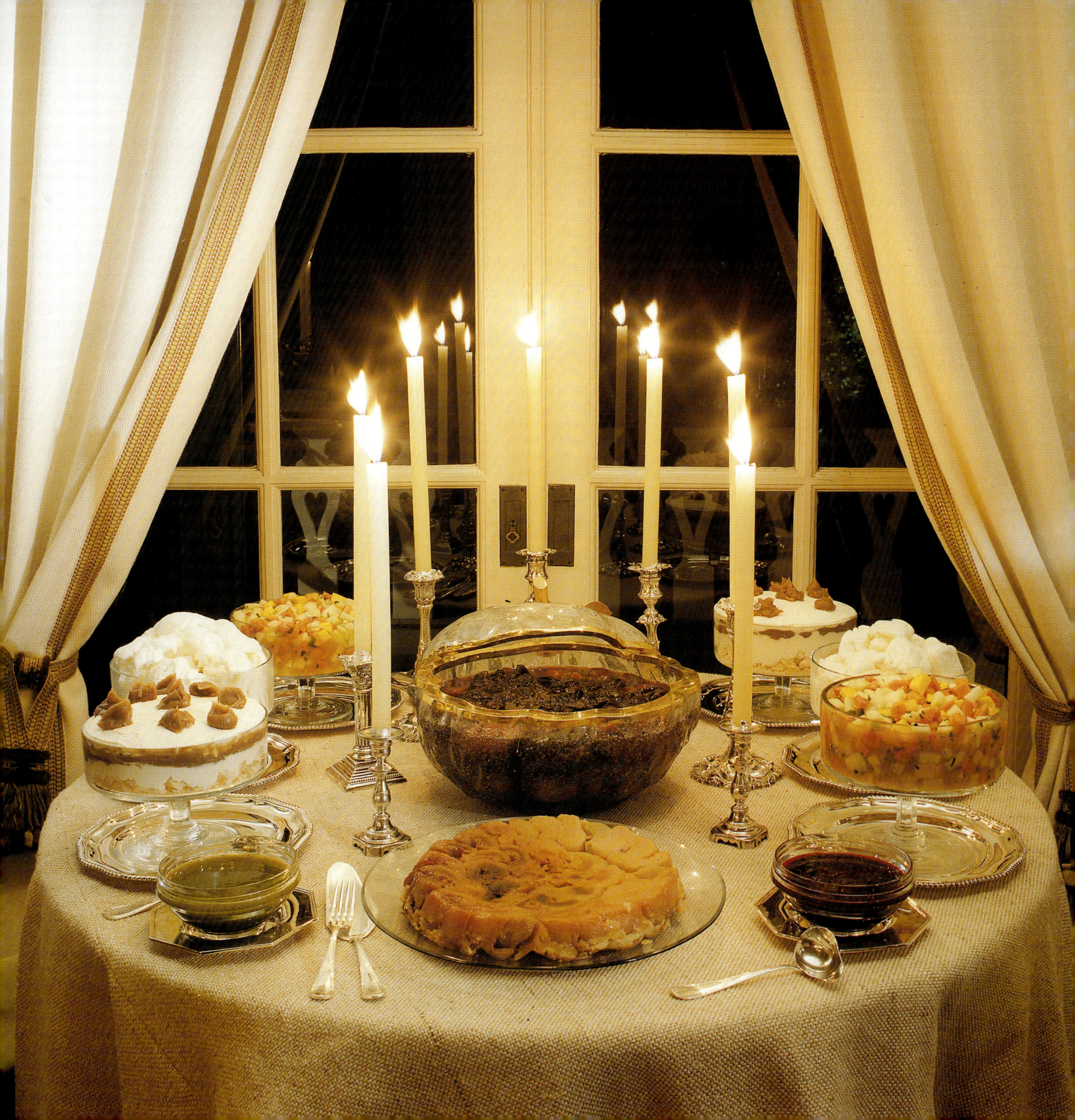

8.
O motorista da Kombi

18h. Agora não há mais nada a fazer a não ser esperar. Assumo meu posto no banco dianteiro da Kombi. A mão pousada sobre a chave da ignição e o pé direito esperto, sobrevoando o acelerador. Na hora H não vou ser eu a atrasar a coisa toda.

18h10. A festa na casa de Dona Carlota começa às 19h. Está tudo pronto. Cada guardanapo dobrado. Cada gravata em seu colarinho. Cada azeitona devidamente estacionada sobre seu canapé. Cada bolha de champanhe pronta para sair pelo gargalo...

18h15. A Kombi já foi carregada. A copeira e os garçons tomaram seus lugares lá atrás, na classe econômica. Os cintos estão apertados. O tanque cheio. 45 litros. Gasolina Super. Pneus calibrados: 30 na frente, 33 atrás... Odeio esperar.

18h20. Tudo pronto. E o relógio avança: 18h30... Mas não eram 18h há apenas cinco minutos?

18h35. Daqui do posto de comando da Kombi dá para ver o Charlô no balcão, olhando ansioso para o aparelho de telefone. Já conferiu todos os itens pelo menos dez vezes. Agora fica com esse ar perdido atrás dos óculos. Os dedos nervosos batendo ao lado do telefone.

18h40. O silêncio é mortal. Só ouço o tique-taque do relógio de bolso do garçom. Já mandei ele engolir o relógio. Continuo com a mão pousada na chave da ignição. Faço a minha parte. Todo mundo, aliás, fez a sua parte. Cozinheiros, copeiros, garçons... menos Dona Carlota!

18h45. Dona Carlota é uma madame previdente. Encomendou o *buffet* com um mês de antecedência. 50 pessoas. Jantar com entrada, salada, prato principal e sobremesa. Champanhe francês e vinho de categoria. Guaraná para as crianças. Deixou tudo bem claro. E, muito simpática, não ligou mais para ficar cobrando, como todo mundo faz... E já faz um mês que o Charlô espera esse telefonema...

18h55. Cliente bacana, a Dona Carlota. Explicou o motivo – bodas de prata –, deu o dia certo – hoje – e a hora exata – 19h. Fez tudo direitinho, a madame. Só esqueceu de um detalhe, pra mim o principal: custava ter dado o endereço, Dona Carlota?! *Triiimmmm*!! O telefone!

– Alô? Olá, Dona Carlota, como vai?... Sim... Claro, claro... tudo pronto, conforme o combinado. A Kombi já está chegando aí, não se preocupe... De nada... Ah, sim, só uma coisinha... A senhora poderia me confirmar o endereço, por favor... é para o *mailing*, sabe... Rua Peixoto Gomide... número?... OK, muito obrigado... A Kombi já saiu faz tempo, deve estar chegando agora, neste minuto...

18h55. Largaram! A Kombi do *buffet* faz uma largada sensacional! Ultrapassa por fora o Monza de Prost e o Chevette de Mansel! Recebe uma fechada do ônibus da CMTC. Escapa pelo acostamento! Fantástico! Pega um vácuo no caminhão de lixo. Atravessa a tempo o sinal amarelo – acelera, Ayrton! –, desvia do Fiat retardatário e chega ao viaduto em primeiro lugar... É com você, Reginaldo!...

Nada como um pouco de emoção e aventura. É por isso que eu gosto do meu serviço!

Dona Carlota até hoje não sabe que quase ficou sem festa! Ficou encantada com o serviço e com a "nossa organização". Estava tudo tão pronto que praticamente as copeiras já podiam descer da Kombi servindo os canapés. Mal sabia ela que aquela era nossa terceira festa... Depois desse dia nunca mais deixamos de anotar um endereço ou telefone. Hoje fazemos até quatro festas por dia, sem o menor problema.

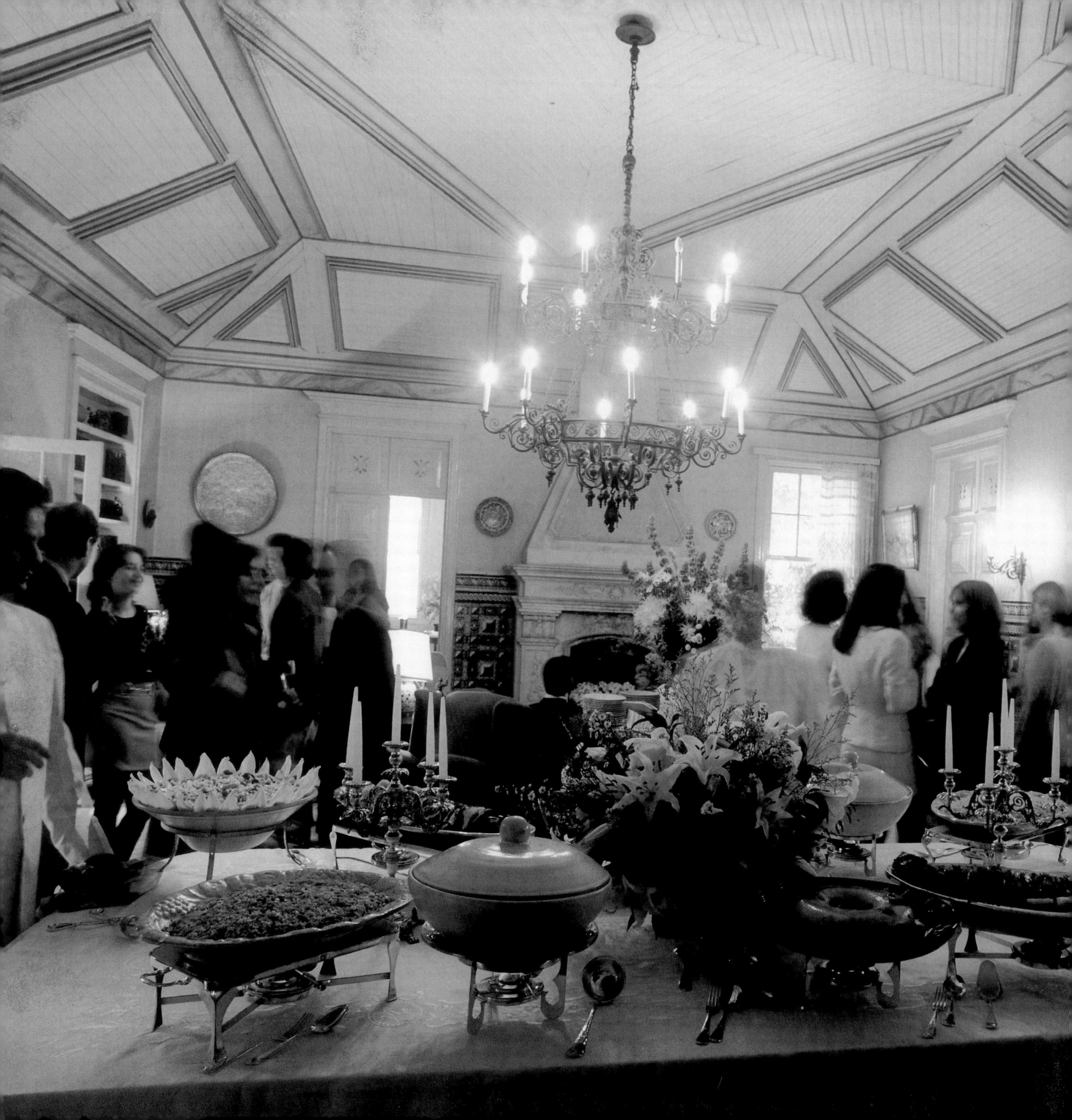

Jantar

70. Salada melangée de verdes com figos, bresaola e croûtons

6 fatias de pão de fôrma sem casca em cubinhos
óleo
1 alface americana
1 maço de rúcula
2 endívias
12 figos sem casca cortados ao meio
250 g de bresaola em fatias finas
croûtons

Frite o pão em bastante óleo. Retire com uma escumadeira e escorra em papel absorvente. Misture as folhas e disponha em uma saladeira, com os figos e a bresaola. Salpique com os croûtons.

Para 6 pessoas

71. Folhado de brie e damasco

1 rolo de massa folhada
500 g de queijo brie cortado em duas partes no sentido do comprimento
6 fatias de presunto cru
1 xícara de geléia de damasco
1 ovo batido
1 gema

Faça dois discos de 20 cm de diâmetro com a massa folhada. Disponha sobre um disco a metade do queijo, o presunto e a geléia de damasco. Cubra com o queijo restante. Pincele as bordas da massa com o ovo batido. Cubra com o outro disco e feche as bordas, pressionando-as com um garfo. Pincele a massa com a gema e leve ao freezer por 30 minutos. Asse em forno médio (180°C), preaquecido, por 25 minutos ou até a massa ficar bem dourada.

Para 10 pessoas

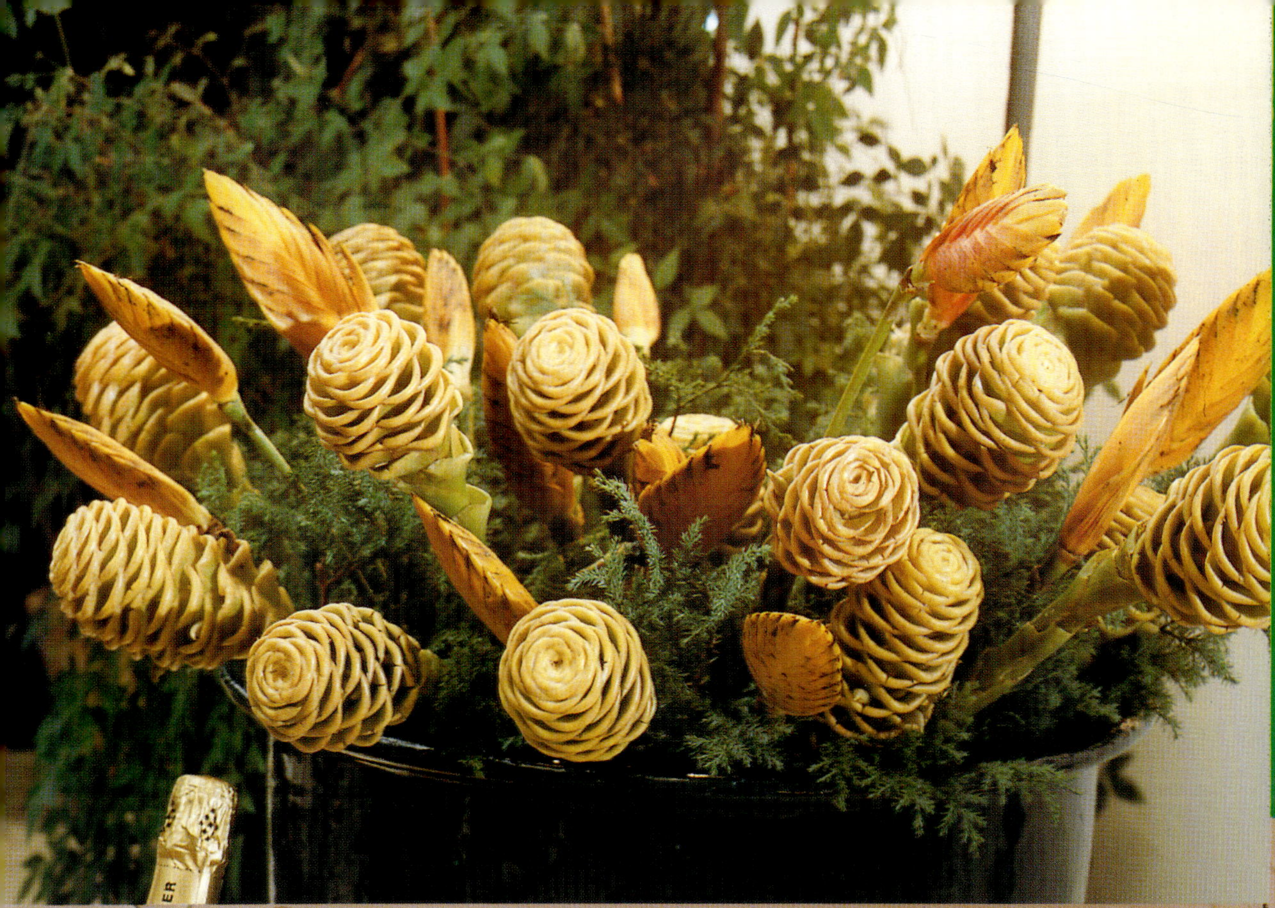
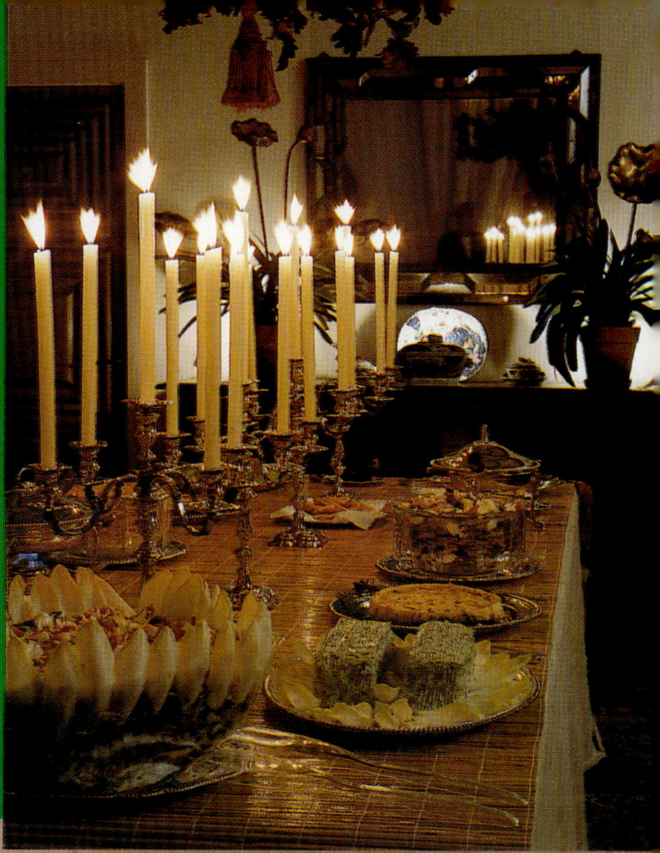
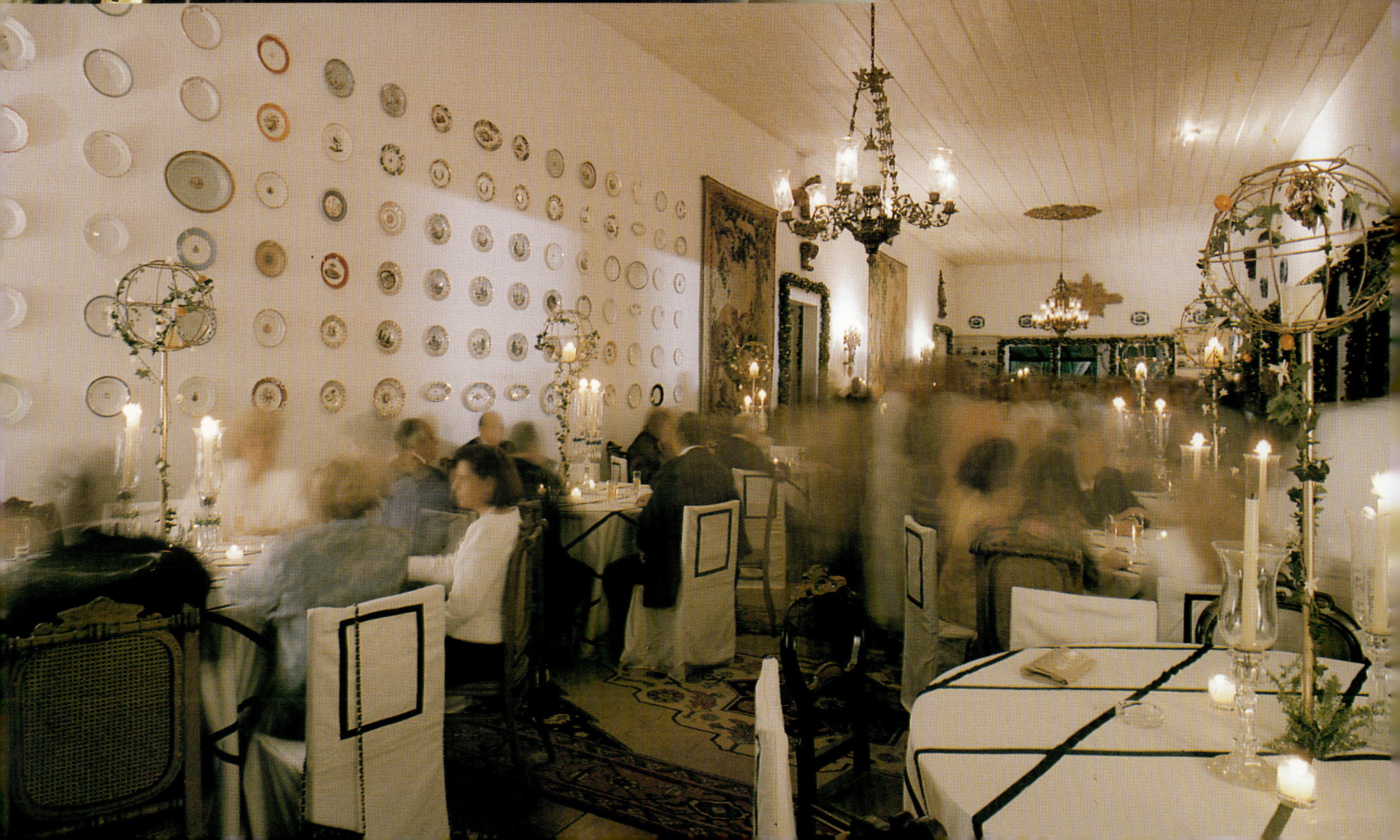

72. Gâteau de batata e alho-poró

2 kg de batatas em fatias
1 litro de leite
500 g de creme de leite fresco
2 dentes de alho picados
noz-moscada ralada na hora
sal e pimenta-do-reino branca
50 g de manteiga
3 alhos-porós (parte branca) cortados
à julienne
200 g de queijo parmesão ralado

Junte em uma panela a batata, o leite, o creme de leite, o alho, a noz-moscada, sal e pimenta-do-reino. Cozinhe as batatas al dente, escorra o líquido e reserve. Aqueça em fogo baixo a manteiga, junte o alho-poró e refogue até murchar. Em uma fôrma refratária, disponha camadas de batata, queijo parmesão e alho-poró, terminando com o queijo. Regue com parte do líquido reservado. Leve ao forno médio, (180°C), preaquecido, para gratinar.

Para 8 a 10 pessoas

73. Tian de filé-mignon com escarola e cenourinhas

100 g de bacon magro picado
2 cebolas picadas
1 dente de alho picado
180 g de manteiga
1 kg de folhas de escarolas cortadas à julienne
sal e pimenta-do-reino
100 g de tomates secos picados
1,6 kg de filé-mignon limpo (reservando as aparas)
1/2 xícara de óleo
1 cenoura picada
1 galho de salsão (parte branca) picado
2 galhos de tomilho
1 folha de louro
150 ml de vinho branco seco
1 litro de caldo de carne

Frite o bacon e reserve. Refogue 1 cebola e o alho em 50 g de manteiga. Junte a escarola e refogue rapidamente. Tempere com sal e pimenta-do-reino. Acrescente os tomates secos e o bacon. Reserve. Amarre o filé-mignon. Aqueça 80 g de manteiga e o óleo em uma assadeira e doure a carne por todos os lados no fogão. Retire toda a gordura que restou, acrescente as aparas reservadas, a cenoura, o salsão, o tomilho e o louro e doure bem sobre a chama do fogão, sacudindo a assadeira. Cubra a assadeira com papel-alumínio. Leve ao forno quente (220ºC), preaquecido, por 15 minutos. Retire e transfira a carne para uma travessa, cobrindo com papel-alumínio para mantê-la quente. Leve a assadeira ao fogão, junte o vinho e raspe bem o fundo da assadeira e faça o molho, deixando ferver por 5 minutos. Acrescente o caldo de carne, misture bem e transfira tudo para uma panela. Deixe cozinhar em fogo baixo por 30 minutos. Passe o molho por uma peneira e leve de volta ao fogo, até reduzir pela metade. Retifique o tempero e reserve.

Disponha a escarola em uma travessa redonda. Corte o filé em fatias finas e arrume sobre as escarolas. Regue com o molho e sirva com cenourinhas.

Para 8 a 10 pessoas

74. Salmão poché

5 litros de água
2 cebolas picadas
2 cenouras em rodelas
1 galho de salsão picado
2 ramos de tomilho
1 colher (chá) de pimenta-do-reino em grão
3 folhas de louro
1 colher (sopa) de sal
1 salmão de 5 kg
molho de maracujá, curry ou agrião

Ferva todos os ingredientes (menos o salmão) por 15 minutos e depois coe. Coloque o salmão em panela própria para cozinhar peixe (poissonnière) e cubra com o caldo. Cozinhe em fogo baixo por aproximadamente 30 minutos. Para testar o ponto de cozimento, introduza a lâmina de uma faca fina e deixe por 5 segundos, retire e encoste nas costas da mão; se estiver quente, o peixe estará cozido. Sirva acompanhado de molho de maracujá, curry ou agrião.

Para 20 pessoas

75. Molho de maracujá

400 ml de iogurte
suco de 4 maracujás
200 ml de maionese
2 colheres (sopa) de dill picado
sal e pimenta-do-reino
azeite

Bata todos os ingredientes no liquidificador (menos o azeite). Regue com um fio de azeite.

76. Molho de curry

400 ml de maionese
100 ml de creme de leite fresco
2 colheres (sopa) de curry

Misture bem todos os ingredientes.

77. Molho de agrião

1 maço de agrião
400 ml de maionese
sal e pimenta-do-reino

Bata todos os ingredientes no liquidificador.

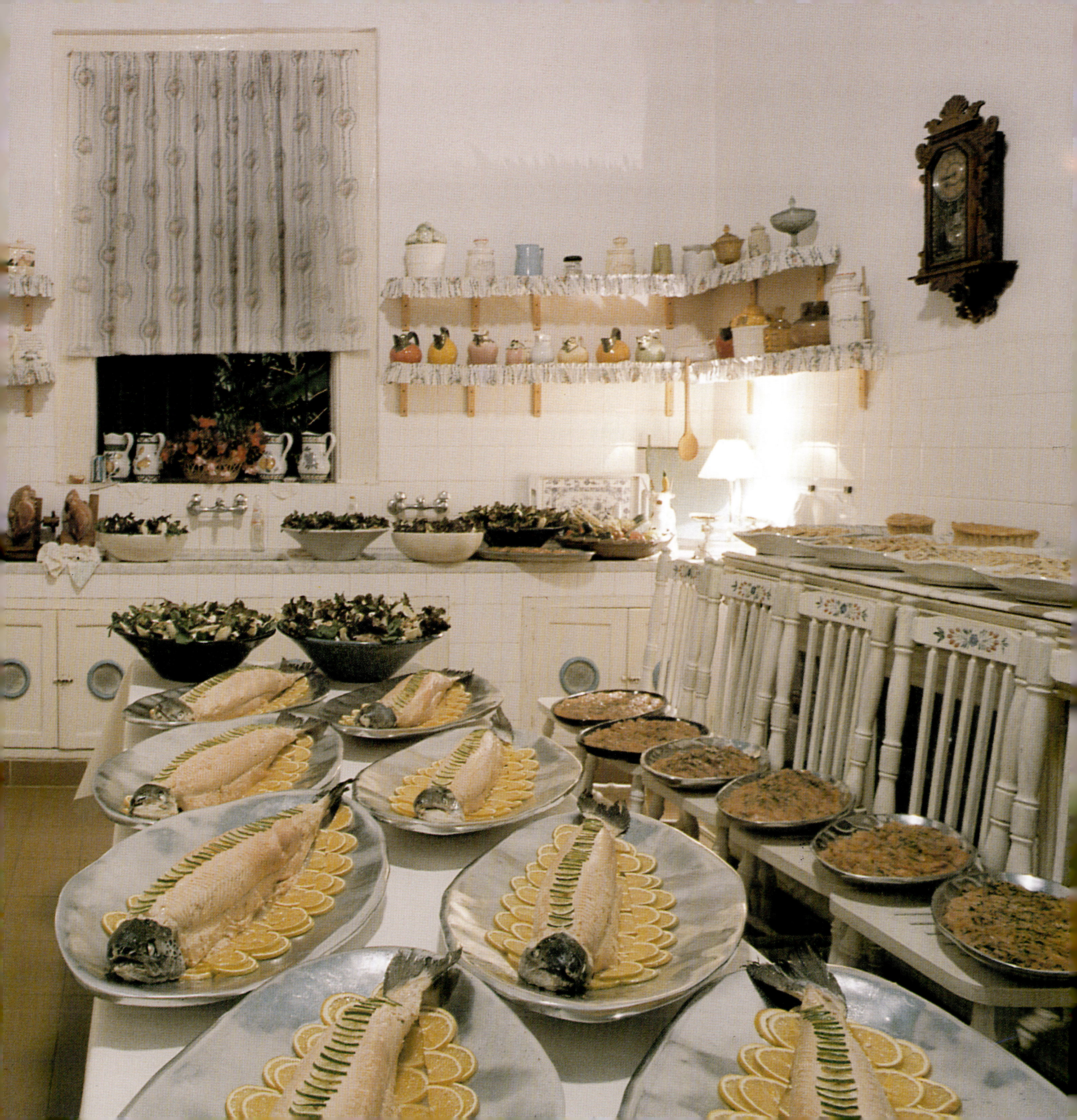

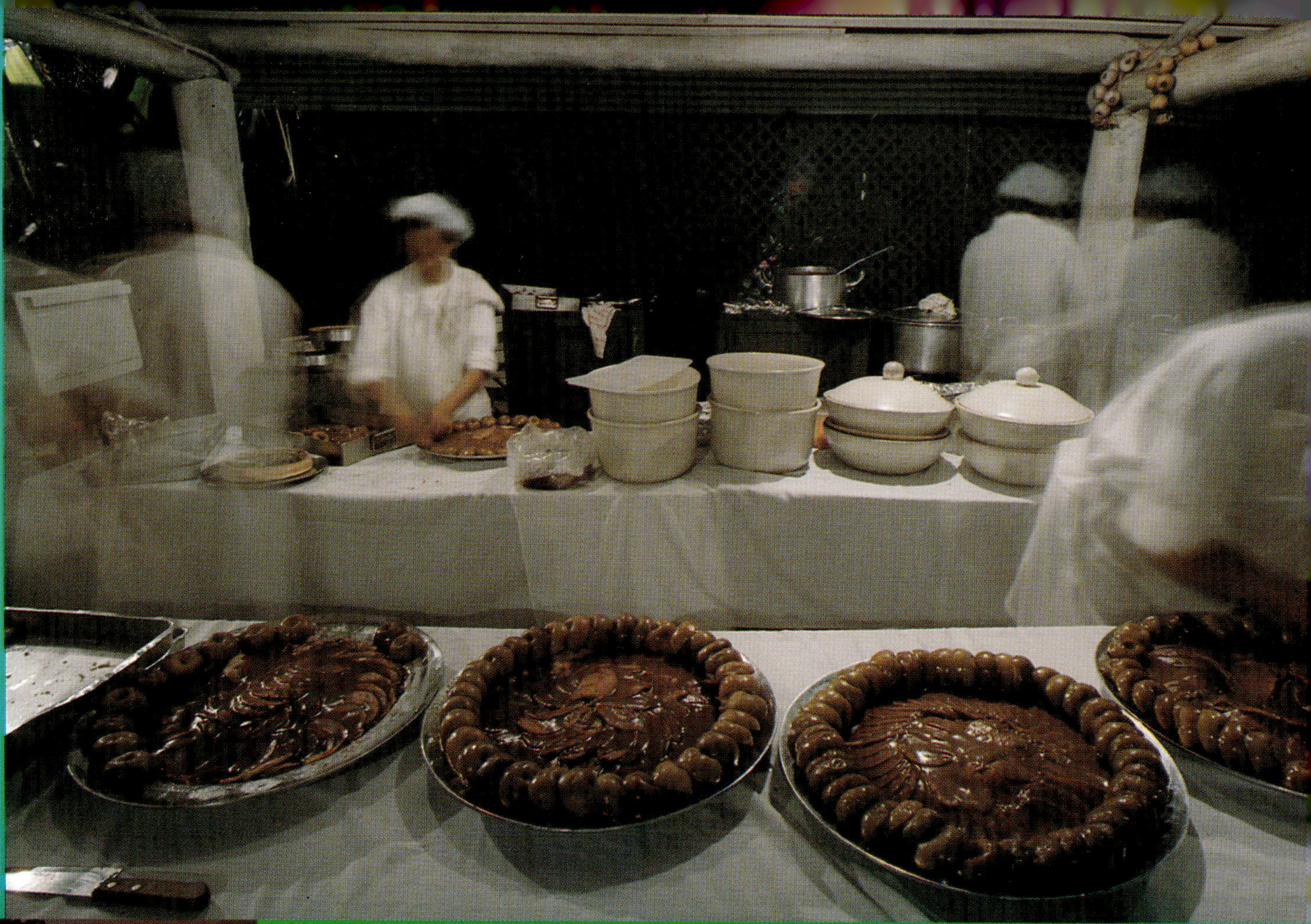

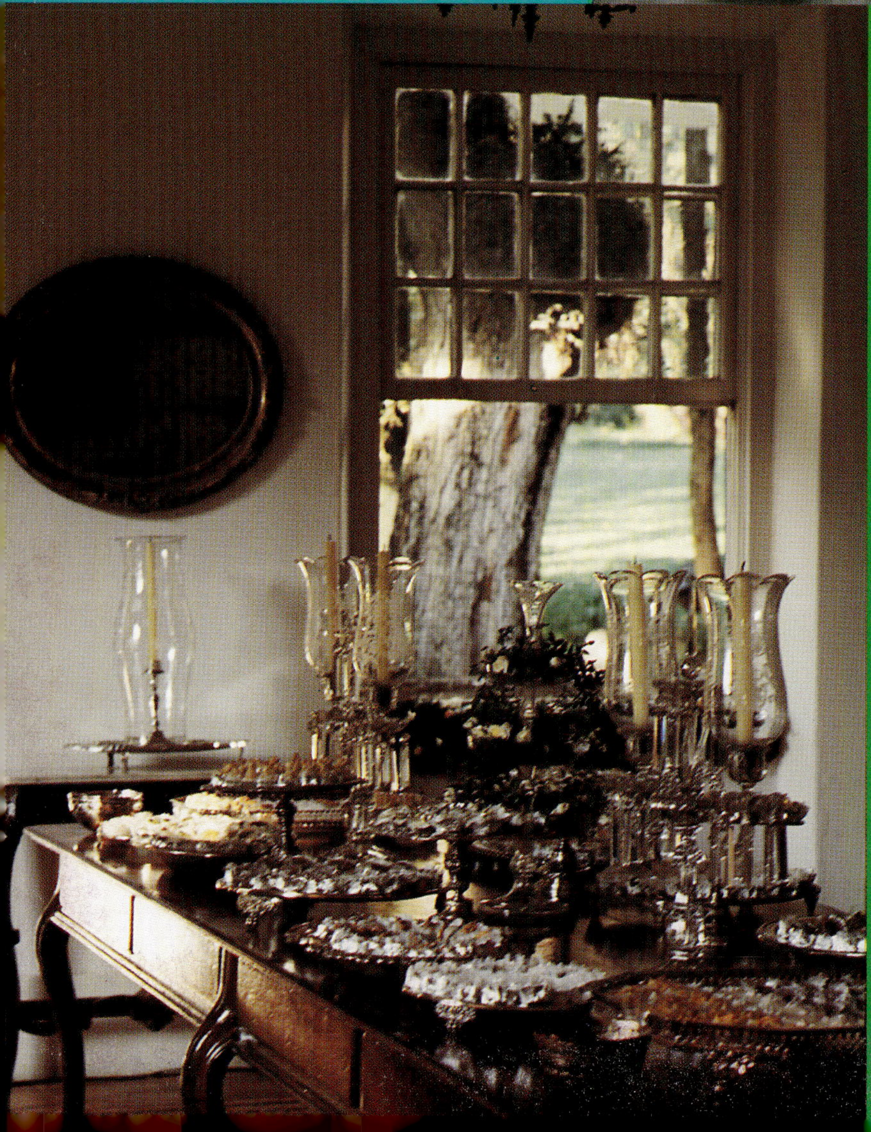

78. Arroz egípcio

Para o arroz
1 kg de peito de frango
2 cebolas em pedaços
1 alho-poró (parte branca) em rodelas
1 cenoura em rodelas
2 1/2 xícaras de arroz

Para o molho
2 xícaras de caldo do cozimento do frango
200 g de amêndoas sem pele
200 g de pignoli
manteiga

Prepare o arroz: cozinhe por 20 minutos o peito de frango com as cebolas, o alho-poró e a cenoura cortada em água suficiente para cobrir. Retire o frango e desfie. Cozinhe o arroz com o caldo do frango e reserve.

Prepare o molho: toste a amêndoa e o pignoli separadamente na manteiga e reserre. Separe um pouco de amêndoa e pignoli tostados para enfeitar e passe o restante no processador de alimentos. Em uma panela, junte o caldo de frango, as amêndoas e os pignoli moídos e leve ao fogo por 5 minutos. Coloque o arroz em uma travessa com o frango desfiado à rolta. Salpique com o pignoli e a amêndoa tostados. Sirra o molho à parte.

Para 8 pessoas

Sobremesas

79. Merengue de café

150 g de manteiga em temperatura ambiente
150 g de açúcar
4 gemas
4 colheres (sopa) de café forte
100 g de amêndoas sem pele tostadas em lascas
300 g de suspiros quebrados em pedaços
1 xícara de creme de leite fresco

Bata a manteiga com o açúcar e as gemas, uma a uma, até formar um creme esbranquiçado. Junte o café aos poucos e as amêndoas, misturando delicadamente. Forre uma vasilha com filme plástico. Coloque uma camada de suspiro, cubra com o creme de café e assim sucessivamente e, por último, coloque uma camada de suspiro. Cubra com um prato para fazer peso e leve à geladeira. Desenforme e cubra com o creme de leite batido em ponto de chantilly. Se quiser, enfeite com amêndoas.

80. Torta de pêra

Para a massa
200 g de farinha de trigo
1 gema
100 g de manteiga em temperatura ambiente
1 pitada de sal
4 colheres (sopa) de água gelada

Para o recheio
100 g de manteiga
100 g de açúcar
1 ovo
1 gema
2 colheres (chá) de poire (opcional)
100 g de amêndoas picadas
2 colheres (sopa) rasas de farinha de trigo

Para decorar
6 peras em fatias finas
açúcar de confeiteiro
geléia de damasco

Prepare a massa: misture todos os ingredientes com as mãos. Forme uma bola e deixe na geladeira por 30 minutos. Abra a massa sobre uma superfície polvilhada com farinha. Forre uma fôrma de aro removível de 25 cm de diâmetro. Faça furinhos na massa com um garfo e leve ao freezer por 15 minutos.

Prepare o recheio: bata a manteiga com o açúcar. Acrescente o ovo, a gema, o poire, as amêndoas e a farinha de trigo e misture bem. Espalhe o recheio sobre a massa. Distribua as peras, pressionando levemente. Leve ao forno médio (180ºC), preaquecido, por 25 a 30 minutos. Retire do forno e polvilhe com açúcar de confeiteiro. Volte ao forno para caramelizar. Retire e pincele com a geléia de damasco.

Para 8 pessoas

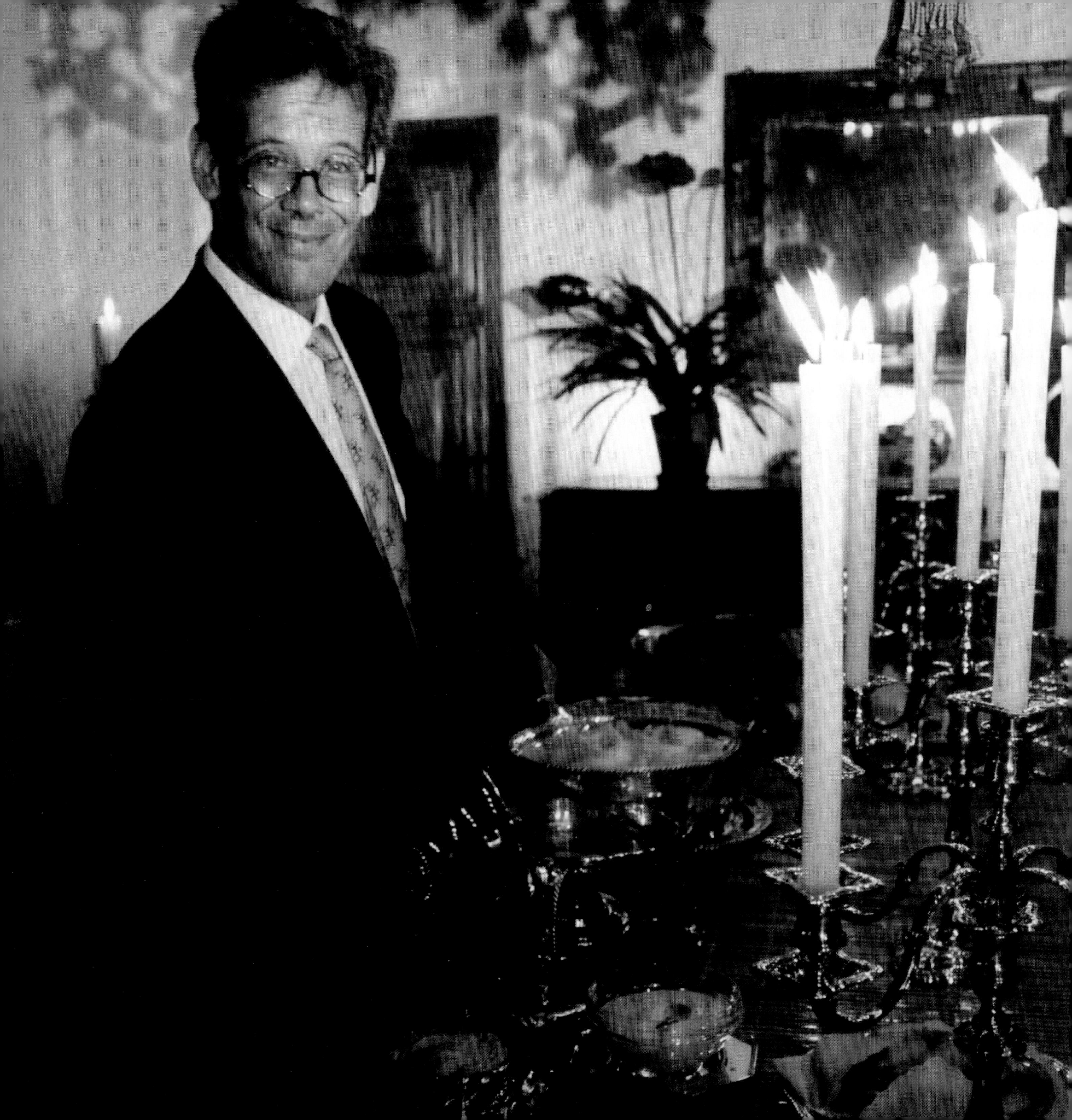

9.
O padre

– O que Deus uniu, o homem não separa. Ide em paz e que o Senhor vos acompanhe... Adoro realizar casamentos ao ar livre. Deve ser porque tu, Pai, fizeste teu primeiro milagre justamente numa festa de casamento ao ar livre... Este me parece especial. Muita alegria e muita juventude para festejar o sacramento da união de duas almas do Senhor... E muita comida também...

– Um pouco de vinho, por favor...

Que noiva bonita! E que sorriso! Parece estar em estado de graça... Pode-se ver nos olhos toda a sua paz de espírito. Que rosto angelical! Que vestido lindo! Que coxinha gostosa! E este canapé de salmão, então, que delícia!

– Mais um pouco de vinho, por favor.

E o noivo também, muito elegante. Moço charmoso. Tem no olhar a determinação de um novo chefe de família. E veste um belo terno também... corte italiano, posso apostar... Armani ou Valentino... Muito bom gosto... Muito saboroso este carpaccio...

– Mais vinho, por favor.

Tudo muito alegre, tudo muito bonito. Ótima comida. Aliás, ótimas estas saladinhas de endívias... Enfim, tudo perfeito. Portanto nada justifica aquele desânimo no rosto da mãe do noivo... Já dei extrema-unção a fiéis mais animados do que ela...

– Meu filho! Coloca mais um pouquinho aqui na minha taça, por favor. É, mas as mães italianas são assim mesmo. Nunca se conformam com o fato de que as ovelhas do rebanho um dia se desgarram. Veja que desconsolo. Veja como afasta o prato de perdiz com olhar de desdém. Perdoa-a, Pai, ela não sabe o que faz...

– Mocinho, por favor, me passe aquele prato de perdiz... Este mesmo. E traga a garrafa de vinho também.

Sorbet! Isso é que é elegância! Nada como um casamento quatrocentão... Mas o prato da mãe do noivo continua vazio. Um leve mal-estar no ar. Reclamou de tudo. Não gostou de nenhum aperitivo, não gostou da entrada, odiou o primeiro prato, não entendeu o sorbet... Está irredutível. O noivo, a noiva e os padrinhos já foram tentar convencê-la a comer alguma coisa. Só falta chamar o padre... Quer dizer, me chamar... Oh, meu Deus, apaziguai-os.

Agora vem esse rapaz de óculos. Quem será? Acaricia-lhe a mão e fala-lhe ao ouvido. Parece sugerir qualquer coisa. Vejo-a sorrir levemente... Será que a iluminaste, Senhor? Não? Bem, alguma coisa aconteceu...

– Garçom! Onde está a garrafa de vinho que pedi há mais de meia hora?

É isso! O moço de óculos volta com um prato fumegante. E deixa esse maravilhoso rastro de manjericão e especiarias quando passa. Uma pasta! Especialmente para a mãe do noivo... Que alma caridosa! E a pasta parece mesmo divina... Veja a volúpia com que ela se debruça sobre o prato. Chega a dar inveja... humm... Perdão, Senhor...

– Mais vinho, mais vinho!

Miracolo! Agora noiva e sogra estão com seus pratos lado a lado. Se entreolham. Choram de emoção e se abraçam... Veja o que pode fazer uma boa pasta. Viste, Senhor? Até hoje não consigo entender por que fizeste da gula um pecado...

– Garçom! Não fuja! Não vou embora daqui sem o Frangelico!

Por que será que eu gosto tanto de fazer casamentos? O trabalho e o retorno são os mesmos de qualquer evento. Mas tem alguma coisa que me encanta e me leva a ligar para a mãe da noiva assim que fico sabendo que alguém vai se casar...

Almoço

81. Salada mediterrânea

6 berinjelas grandes em rodelas grossas
1 1/2 xícara de azeite
4 dentes de alho picados
1 cebola grande picada
2 pimentões verdes em pedaços pequenos
2 pimentões vermelhos em pedaços pequenos
2 pimentões amarelos em pedaços pequenos
1 colher (sopa) de cebolinha verde picada
1 colher (sopa) de manjericão picado
1 colher (sopa) de tomilho picado
1 colher (sopa) de salsinha picada
sal e pimenta-do-reino

Frite as berinjelas no azeite dos dois lados e reserve. Refogue o alho e a cebola no azeite, junte os pimentões e refogue por alguns minutos até ficarem macios. Deixe esfriar. Acrescente a cebolinha, o manjericão, o tomilho e a salsinha. Tempere com sal e pimenta-do-reino. Arrume as rodelas de berinjela em uma assadeira. Com uma colher de sopa, faça uma depressão em um dos lados da berinjela e recheie com o refogado de pimentões. Regue com o restante do azeite e leve ao forno médio (180°C), preaquecido, por 15 a 20 minutos ou até que a berinjela esteja bem macia. Deixe na geladeira até o dia seguinte.

Para 8 a 10 pessoas

82. Mousse de haddock

300 g de haddock
leite
3 folhas de gelatina branca
1 folha de gelatina vermelha
4 colheres (sopa) de água fervente
250 g de maionese
100 ml de creme de leite fresco
1 colher (sopa) de mostarda
1 colher (sopa) de ketchup
sal e pimenta-do-reino branca
gotas de molho inglês
salpicão de maçã e salsão

Deixe o haddock de molho em leite suficiente para cobri-lo por aproximadamente 1 hora. Ferva o haddock nesse mesmo leite até ficar macio e escorra. Deixe as folhas de gelatina de molho por alguns minutos em água suficiente para cobri-la. Escorra e junte a água fervente, mexendo para dissolver bem. Bata no liquidificador ou no processador de alimentos o haddock, a gelatina, a maionese, o creme de leite, a mostarda, o ketchup, sal e pimenta-do-reino e o molho inglês até obter uma mistura homogênea. Distribua a mousse de haddock em uma fôrma de pudim de 22 cm de diâmetro umedecida com água e leve à geladeira por no mínimo 8 horas. Desenforme e sirva acompanhado de salpicão de maçã e salsão.

Para 8 a 10 pessoas

83. Salpicão de maçã e salsão

2 xícaras de maçã picada
1 xícara de salsão (parte branca) picado
1/4 de xícara de pimentão vermelho picado
1/2 xícara de cenoura ralada
1/2 xícara de molho rosé

Misture todos os ingredientes. Leve à geladeira.

84. Bacalhau espiritual

Para o molho béchamel
3 colheres (sopa) de manteiga
100 g de farinha de trigo
1 litro de leite
1 pitada de noz-moscada
sal e pimenta-do-reino

Para o bacalhau
2 cebolas grandes em pedaços
2 cenouras em rodelas
1 colher (sopa) de azeite
2 colheres (sopa) de manteiga
1 kg de bacalhau cozido
250 g de camarão pequeno cozido ou 250 g de presunto picado
2 colheres (sopa) de queijo parmesão ralado
1 colher (sopa) de farinha de rosca

Prepare o molho béchamel: derreta a manteiga em frigideira. Junte a farinha e misture dourando um pouco. Adicione o leite aos poucos, mexendo sempre até engrossar. Retire do fogo e acrescente a noz-moscada, sal e pimenta-do-reino.

Prepare o bacalhau: refogue a cebola e a cenoura no azeite e na manteiga. Acrescente o bacalhau e refogue mais um pouco até pegar gosto. Passe-o no moedor de carnes ou no processador de alimentos até formar um purê. Misture metade do molho béchamel ao purê de bacalhau. Coloque em uma fôrma refratária e cubra com o restante do molho branco misturado com 250 g de camarão ou presunto. Polvilhe com queijo parmesão e farinha de rosca. Cubra com pelotinhas de manteiga e leve ao forno médio (180ºC), preaquecido, até gratinar.

Para 8 pessoas

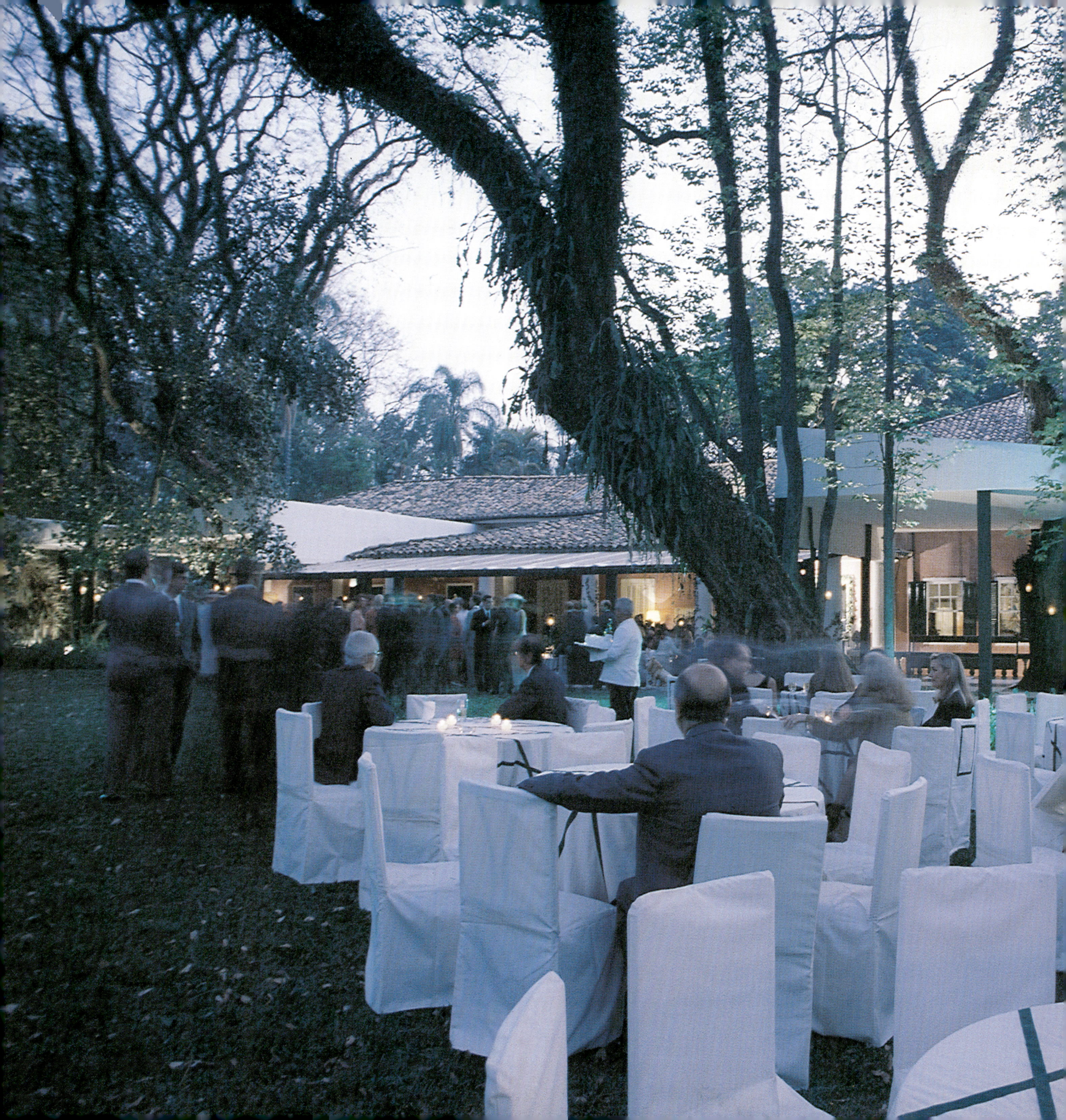

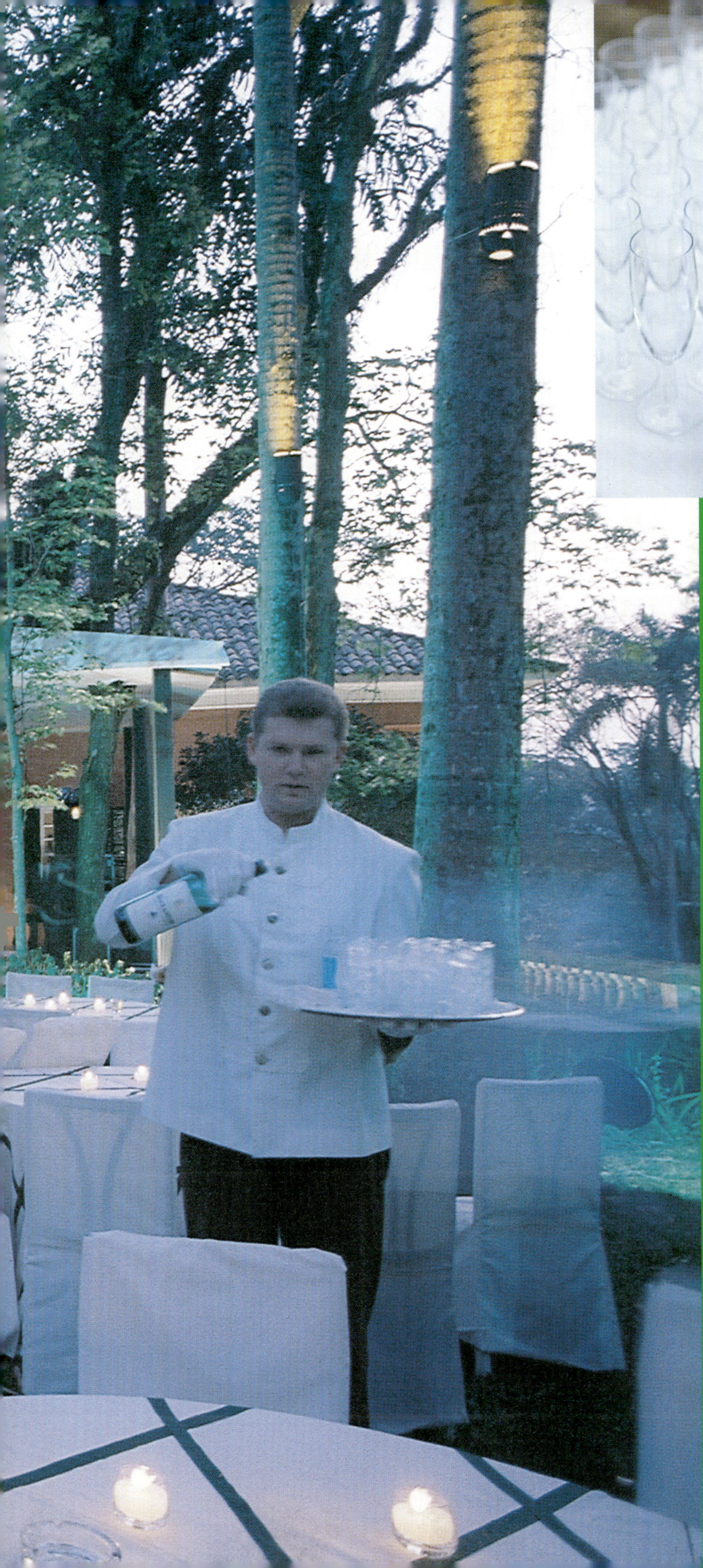

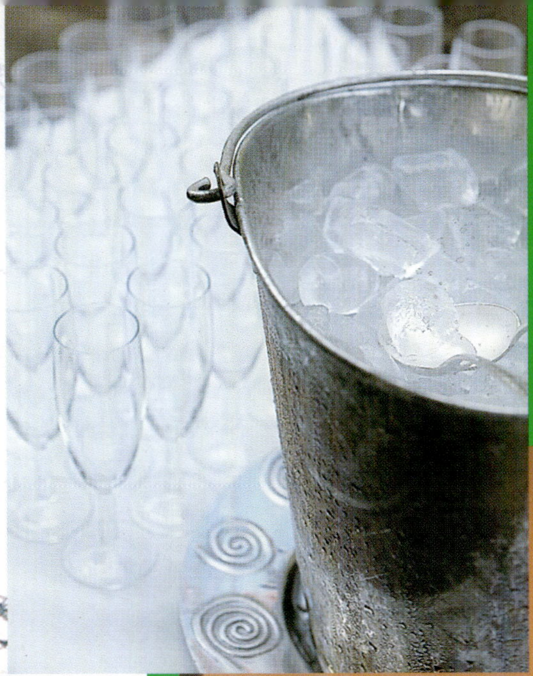

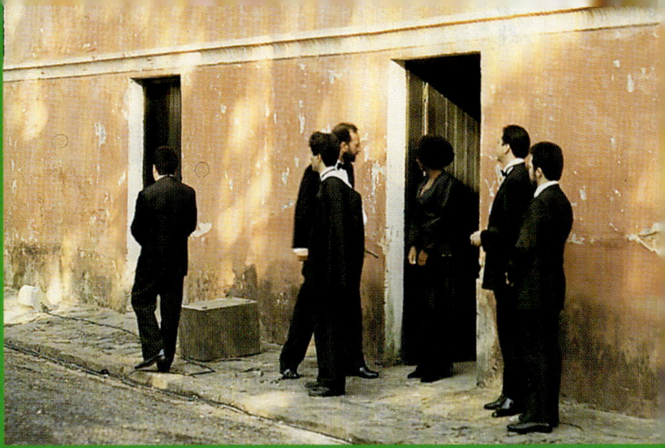

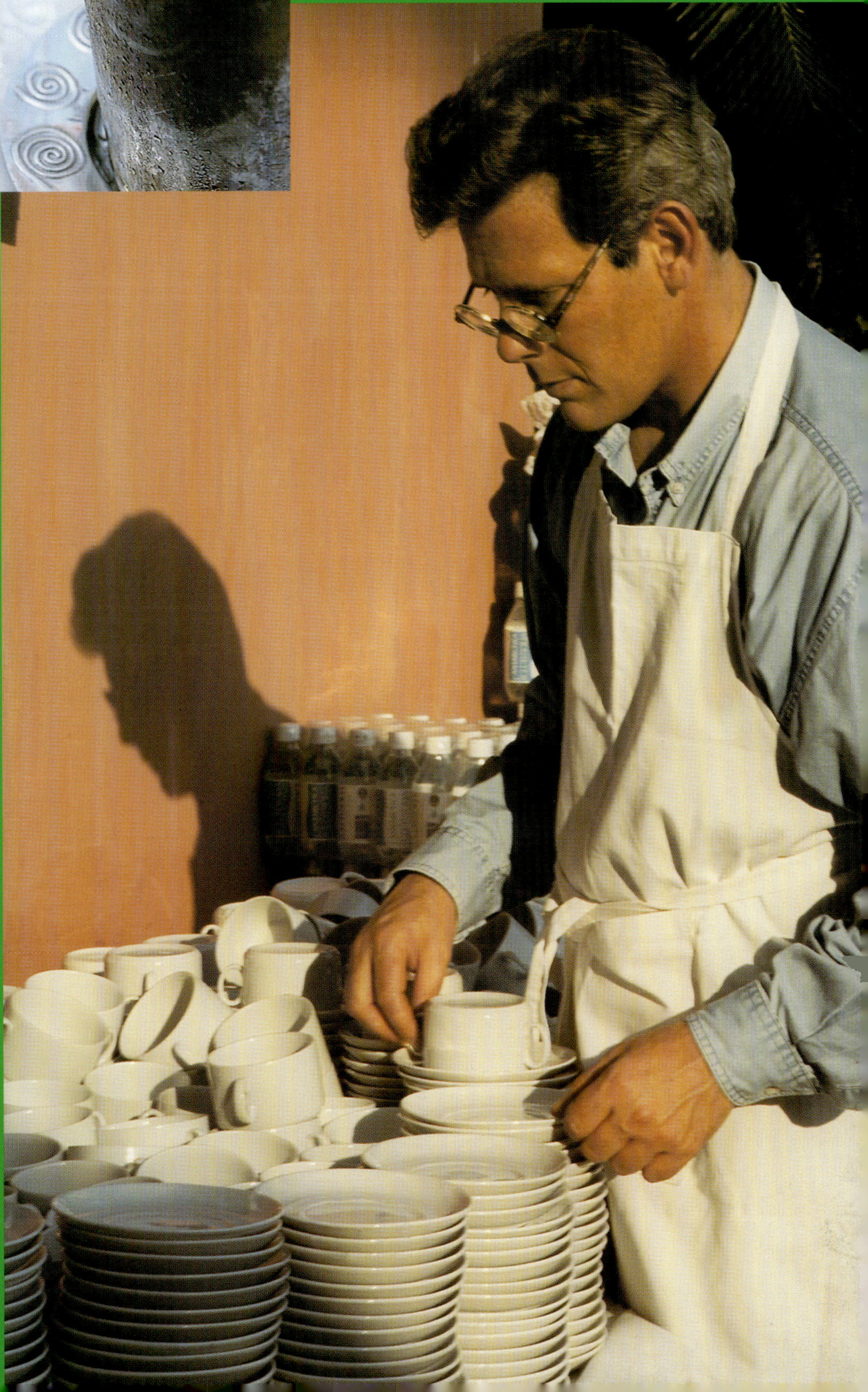

85. Bacalhau com nata

1 kg de bacalhau
1 colher (sopa) de manteiga
4 colheres (sopa) de farinha de trigo
1 litro de leite quente
500 ml de creme de leite fresco
sal e pimenta-do-reino
noz-moscada
1 kg de batata cortada em palito
750 g de cebola em rodelas
1 1/2 xícara de azeite
1/2 xícara de vinho branco
5 colheres (sopa) de salsinha picada
farinha de rosca

Na véspera, deixe o bacalhau de molho, trocando a água pelo menos três vezes. No dia seguinte, afervente-o e corte em lascas. Derreta a manteiga, junte a farinha de trigo e misture. Adicione o leite e mexa até engrossar. Acrescente o creme de leite. Tempere com sal, pimenta-do-reino e noz-moscada. Reserve. Frite as batatas e reserve. Em uma panela, refogue a cebola no azeite sem deixar escurecê-la. Junte o bacalhau e refogue por mais alguns minutos. Adicione o vinho branco e deixe reduzir um pouco o caldo. Junte a salsinha e misture.

Distribua o refogado de bacalhau em uma fôrma refratária. Cubra com o molho béchamel e salpique com farinha de rosca. Leve ao forno médio (180ºC), preaquecido, para dourar.

Sugestão: se desejar, cubra o bacalhau com batata frita antes de ir ao forno, coloque o molho e salpique com farinha de rosca.

86. Rocambole de peito de peru com recheio de castanha e salsão

Para o peru
500 ml vinho branco seco
suco de 1 limão
1 cebola ralada
1 dente de alho espremido
1 folha de louro
salsinha e cebolinha picadas
1 peito de peru de 2 kg desossado e aberto
compota de frutas secas
arroz cajun (receita na página 140)

Para o recheio
1 salsão (parte branca)
2 colheres (sopa) de manteiga
1/2 kg de castanhas cozidas sem casca e sem pele, passadas por uma peneira
1 xícara de leite quente
sal e pimenta-do-reino
1 colher (sopa) de açúcar

Prepare o peru: misture todos os ingredientes, junte o peito de peru e deixe de molho de véspera, regando e virando de vez em quando.

Prepare o recheio: numa panela, refogue o salsão na manteiga. Acrescente as castanhas e o leite. Tempere com sal e pimenta-do-reino e o açúcar. Bata no liquidificador ou no processador de alimentos até obter um purê. Escorra o peito de peru e recheie com o purê de castanhas. Enrole formando um rocambole e amarre sem apertar. Unte o rocambole com bastante manteiga, envolva-o em papel-alumínio e coloque em uma assadeira. Asse em forno médio (180ºC), preaquecido, por 1 hora, virando ocasionalmente. Retire do forno e conserve embrulhado no papel-alumínio por 20 minutos. Corte em fatias e sirva acompanhado de compota de frutas secas e arroz cajun.

Para 8 a 10 pessoas

87. Compota de frutas secas

1 kg de açúcar
500 ml de água
suco de 1 limão peneirado
500 g de damasco turco
500 g de pêra seca

Misture em uma panela o açúcar, a água e o suco de limão com uma colher de metal. Leve ao fogo baixo, mexendo até o açúcar dissolver. Pare de mexer e deixe cozinhar até formar uma calda rala. Divida essa calda em duas panelas, cozinhando o damasco e a pêra separadamente, até ficarem macios, mas sem se desfazer. Misture o damasco, a pêra e suas caldas.

88. Arroz cajun

2 xícaras de folhas de espinafre picadas
1 colher (sopa) de cebola ralada
1 colher (sopa) de salsinha picada
1 colher (sopa) de manteiga em temperatura ambiente
2 colheres (sopa) de queijo parmesão ralado
1 1/2 xícara de leite
3 ovos batidos
sal e molho inglês
3 xícaras de arroz cozido

Misture todos os ingredientes e junte, por último, o arroz. Distribua o arroz em uma fôrma de pudim de 25 cm de diâmetro untada com bastante manteiga. Leve ao forno médio (180°C), preaquecido, em banho-maria de água fervente por aproximadamente 30 minutos. Desenforme e sirva quente.

Para 8 pessoas

89. Zucotto de framboesa

Para o pão-de-ló
4 ovos
125 g de açúcar
125 g de farinha de trigo peneirada

Para o recheio
400 g de framboesa
125 g de açúcar de confeiteiro
2 colheres (sopa) de Drambuie
150 ml de creme de leite fresco
100 g de mascarpone

Prepare o pão-de-ló: bata os ovos com o açúcar até que espume. Junte, aos poucos, a farinha peneirada, misturando delicadamente. Espalhe a massa em uma assadeira de 30 cm de comprimento untada e polvilhada com farinha. Leve ao forno quente (220ºC), preaquecido, por aproximadamente 30 minutos ou até que, enfiando um palito, ele saia limpo. Corte a parte superior do pão-de-ló e reserve. Corte, no sentido do comprimento, o restante em três fatias e forre uma vasilha arredondada.
Prepare o recheio: salpique as framboesas com o açúcar e deixe descansar por 1 hora, até soltar bastante líquido. Coe o líquido e misture com o Drambuie. Umedeça o pão-de-ló. Bata o creme de leite em ponto de chantilly. Junte o mascarpone e as framboesas e misture. Espalhe sobre o pão-de-ló. Cubra com o restante do pão-de-ló. Coloque um prato em cima para fazer peso e deixe na geladeira por uma noite ou no mínimo por 6 horas. Desenforme e sirva.

Para 8 pessoas

90. Mangas marinadas com hortelã e cassis

6 mangas em fatias
2 colheres (sopa) de licor de cassis
2 colheres (sopa) de hortelã fresca picada

Regue as mangas com o licor de cassis e deixe na geladeira por 2 horas. Sirva a manga salpicada com hortelã.

Para 8 pessoas

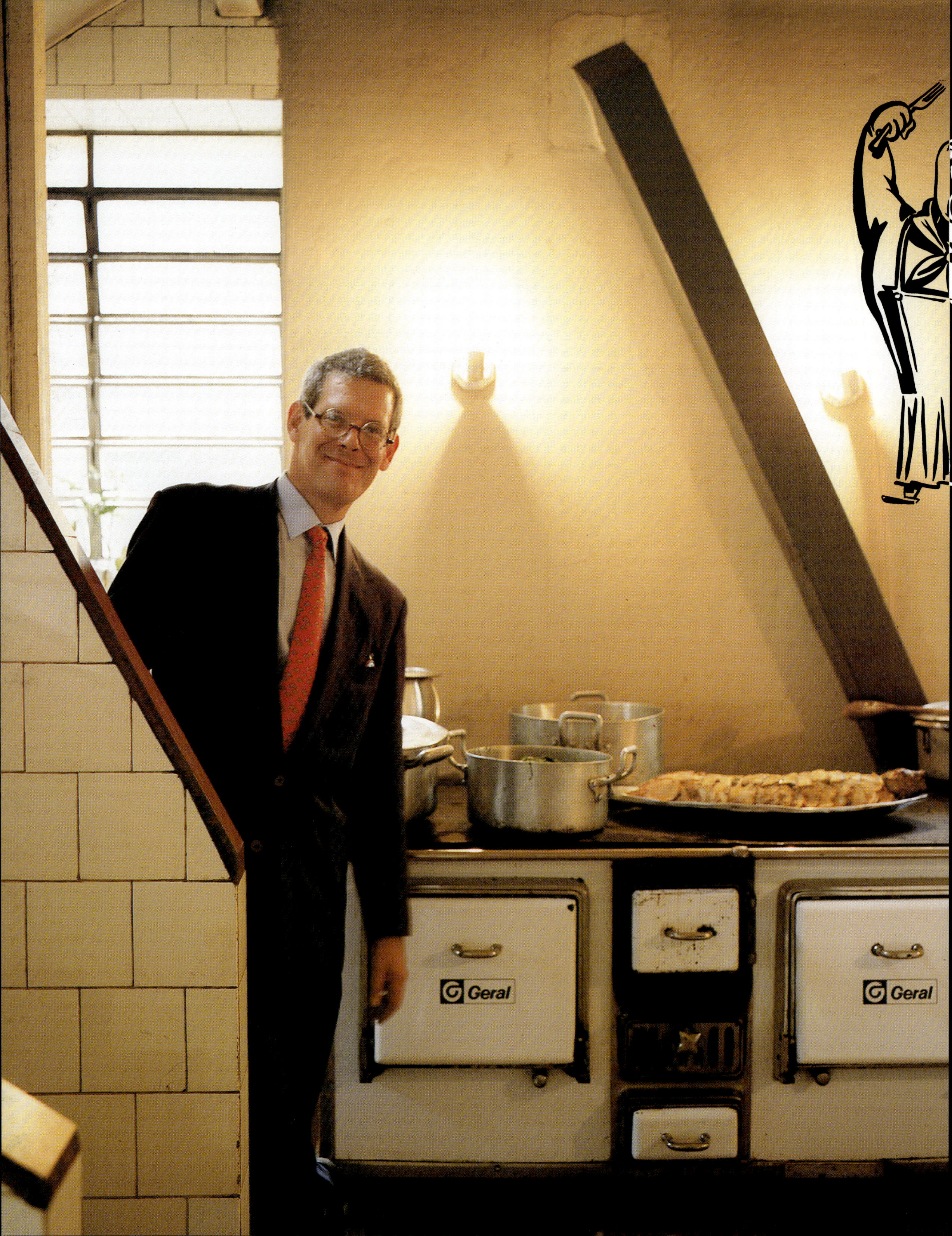
Geral
Geral
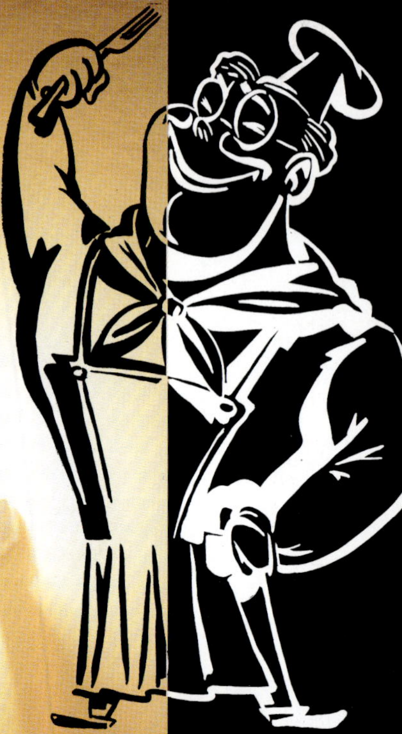

91. Bolo de amêndoas e damascos

Para a massa
12 claras em temperatura ambiente
1 pitada de sal
12 colheres (sopa) de açúcar
12 gemas em temperatura ambiente
2 colheres (chá) de fermento em pó peneirado
3 colheres (sopa) de farinha de rosca
300 g de amêndoas sem pele e moídas

Para o recheio
200 g de damascos
150 g de açúcar

Para a cobertura
1 xícara de água
2 xícaras de açúcar
1 xícara de claras em temperatura ambiente

Prepare a massa: bata as claras em neve com uma pitada de sal. Junte o açúcar, aos poucos, e bata até obter um suspiro firme. Acrescente as gemas uma a uma, batendo bem nos intervalos. Misture o fermento, a farinha de rosca e, por último, as amêndoas, mexendo delicadamente. Distribua a massa em três fôrmas de 20 cm de diâmetro untadas e polvilhadas com farinha. Leve ao forno médio (180ºC), preaquecido, por aproximadamente 10 minutos ou até que, enfiando um palito, ele saia limpo. Retire do forno e desenforme ainda morno. Deixe esfriar sobre uma grade.

Prepare o recheio: deixe os damascos de molho em água suficiente para cobri-los. No dia seguinte, bata-os no liquidificador. Junte o açúcar e leve ao fogo baixo até dar o ponto de geléia.

Prepare a cobertura: junte em uma panela a água e o açúcar e leve ao fogo, mexendo com uma colher de metal até o açúcar dissolver. Pare de mexer e faça uma calda grossa com a consistência de mel. Bata as claras em neve e junte a calda ainda quente, aos poucos, batendo sempre até amornar.
Disponha um dos discos em um prato e espalhe a geléia de damascos. Coloque outra camada de bolo e repita a operação. Cubra com o terceiro disco. Acrescente a cobertura e enfeite com amêndoas em lascas.

Para 10 a 12 pessoas

Festa

92. Salada de espinafre com morango

Para o molho
1/2 xícara de açúcar
2 colheres (chá) de mostarda em pó
2/3 de xícara de vinagre
1 cebola pequena picada
2 xícaras de óleo
sal e pimenta-do-reino
3 colheres (sopa) de semente de papoula

Para a salada
1 maço de espinafre
1 xícara de uvas verdes sem sementes, cortadas ao meio
2 laranjas em gomos
1 xícara de morangos
2 kiwis fatiados
100 g de amêndoas sem pele tostadas

Prepare o molho: junte todos os ingredientes (menos as sementes de papoula) e bata no liquidificador. Acrescente as sementes de papoula.

Prepare a salada: arrume os ingredientes em uma tigela e tempere com o molho.

Para 6 a 8 pessoas

93. Salada de lentilha com hortelã

Para o molho
9 colheres (sopa) de azeite
3 colheres (sopa) de vinagre
sal e pimenta-do-reino
3 colheres (sopa) de hortelã picada

Para a salada
500 g de lentilha
1 cebola grande
1 dente de alho
1 maço de cheiro-verde
sal e pimenta-do-reino

Prepare o molho: misture todos os ingredientes (menos a hortelã).

Prepare a salada: em uma panela, junte a lentilha, a cebola, o alho e o maço de cheiro-verde. Tempere com sal e pimenta-do-reino. Cozinhe em água suficiente até a lentilha ficar macia. Retire do fogo e escorra. Coloque a lentilha em uma saladeira, tempere com o molho e deixe na geladeira por 4 horas para tomar gosto. Momentos antes de servir junte a hortelã. Se preferir, use salsinha e cebolinha picadas no lugar da hortelã e incremente a salada com ovos cozidos em rodelas.

Para 15 pessoas

94. Terrine de foie gras

600 g de foie gras
leite
1 colher (chá) de sal
1 pitada de pimenta-do-reino moída na hora
1 pitada de açúcar
1 pitada de noz-moscada
2 colheres (sopa) de conhaque

Faça essa receita na véspera de servir. Cubra o foie gras com leite e deixe descansar por 2 horas. Abra ao meio com cuidado e tire todas as veias, películas e nervos com uma faca bem afiada. Tempere com sal, pimenta, açúcar, noz-moscada e conhaque e deixe marinar por 1 hora. Coloque em uma terrine de louça ou em uma forma de bolo inglês (com capacidade para 700 g). Leve ao forno médio (180°C), preaquecido, em banho-maria de água fervente, por aproximadamente 30 minutos. Para saber se a terrine está pronta, introduza a lâmina de uma faca no centro; se sair morna, retire o foie gras do forno. Deixe esfriar e leve à geladeira.

Para 6 pessoas

95. Pot pie de camarão

2 kg de camarão médio
2 dentes de alho
4 colheres (sopa) de azeite
2 cebolas em pedaços
3 galhos de tomilho
3 folhas de louro
2 cenouras picada
1 maço de cheiro-verde
1 ramo de dill
1 xícara de vinho branco
300 ml de creme de leite fresco
sal e pimenta-do-reino
2 colheres (sopa) de conhaque
3 colheres (sopa) de farinha de trigo
1 rolo de massa folhada
1 gema

Limpe o camarão, reservando as cascas. Cozinhe-o em água por 5 minutos e reserve. Em outra panela, doure o alho no azeite. Junte a cebola, o tomilho, o louro, a cenoura, o cheiro-verde, o dill, a casca de camarão e o vinho branco e cubra com água. Cozinhe em fogo baixo por aproximadamente 30 minutos. Coe o caldo, acrescente o creme de leite e deixe ferver mais um pouco. Tempere com sal e pimenta-do-reino. Se quiser, adicione o conhaque. Junte a farinha de trigo e deixe engrossar. Misture os camarões e deixe esfriar. Coloque o recheio de camarão em um prato refratário fundo. Cubra com a massa folhada. Pincele com uma gema e leve ao forno médio (180°C), preaquecido, por aproximadamente 25 minutos ou até dourar.

Para 8 pessoas

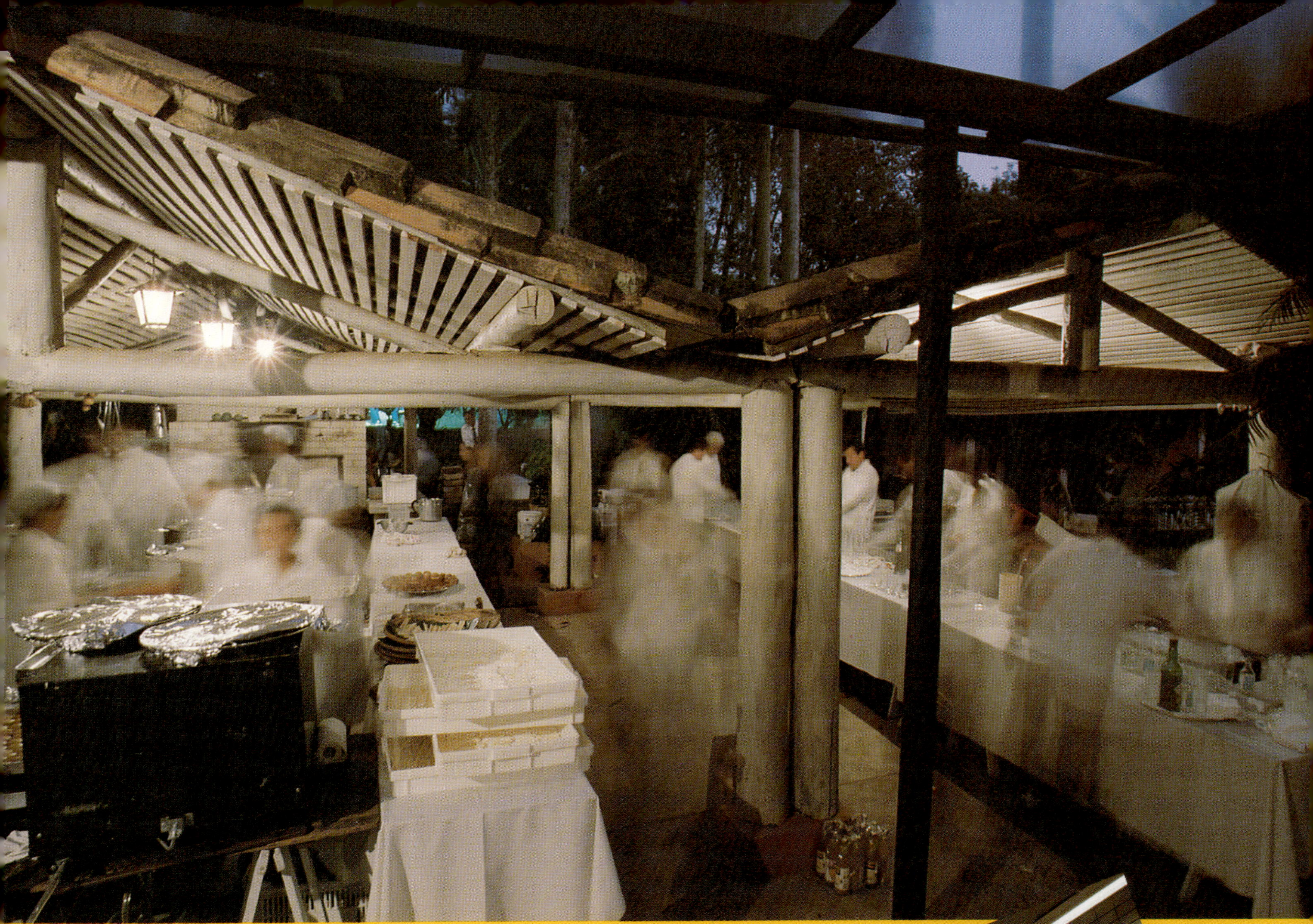

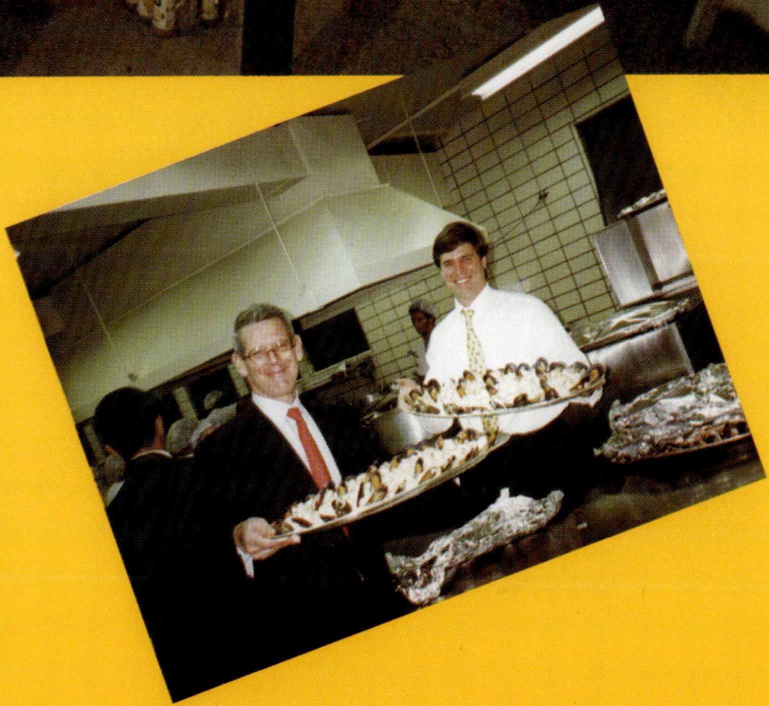

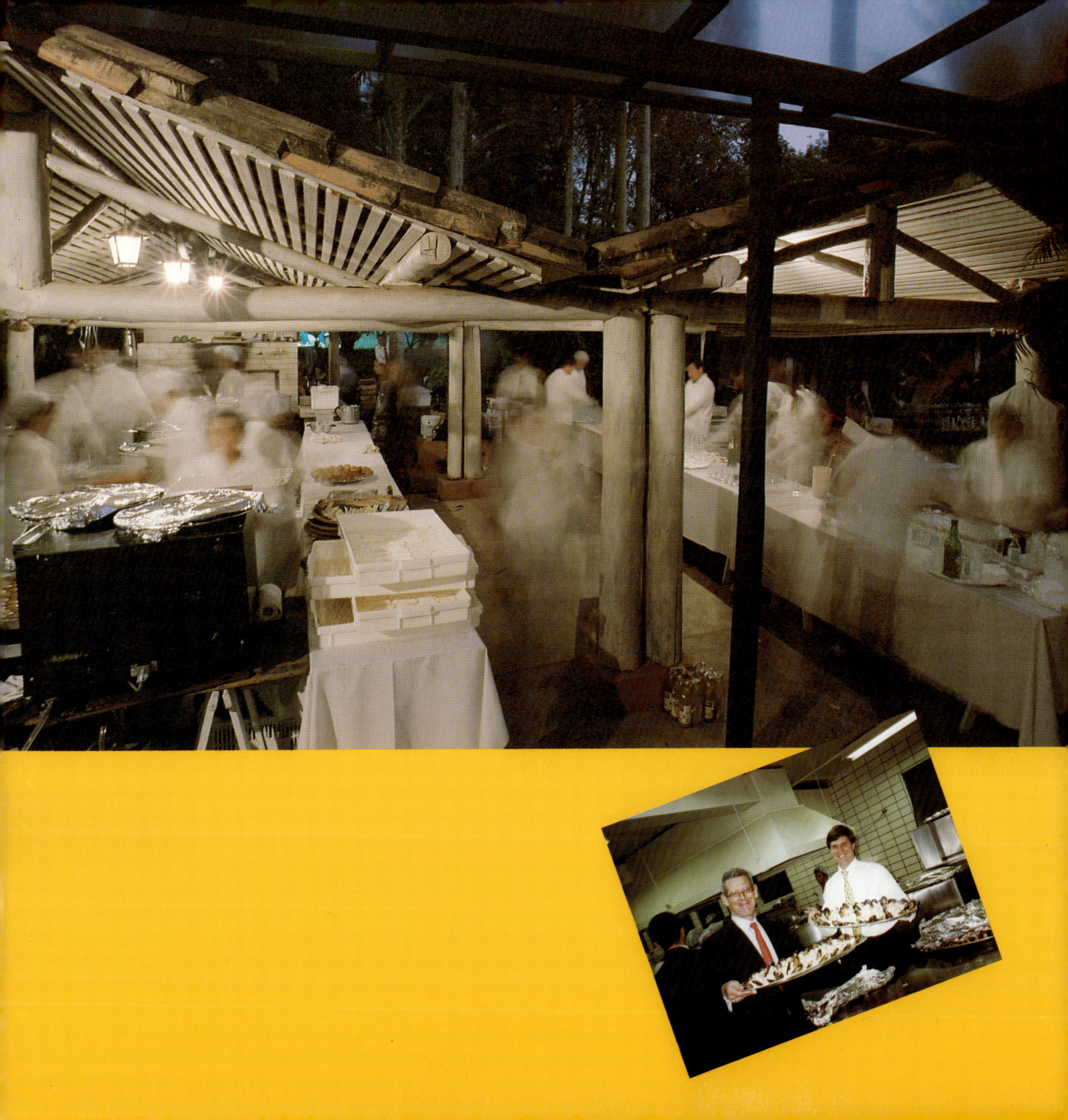

96. Parfait de pêra e mel

1 pacote de folhas de gelatina incolor
1 xícara de água
4 gemas
1 xícara de açúcar
1 xícara de leite
4 claras
500 ml de creme de leite fresco
1 colher (chá) de casca de limão ralado
5 peras em calda cortada em cubos
150 g de amêndoa ou pignoli
1 xícara de mel

Deixa a gelatina amolecer na água. Bata no liquidificador as gemas, o açúcar e o leite. Leve para cozinhar em fogo baixo, mexendo até engrossar um pouco. Retire do fogo, acrescente a gelatina espremida e misture. Coloque em uma vasilha e leve ao freezer até começar a endurecer. Bata as claras em neve e misture ao creme de leite batido em ponto de chantilly. Acrescente as cascas de limão. Junte ao creme que está no freezer. Acrescente as peras e as amêndoas tostadas (reservando algumas para enfeitar) e misture. Distribua o parfait em fôrma de pudim de 25 cm de diâmetro untada com óleo. Leve ao freezer até ficar firme. Desenforme, salpique com as amêndoas e regue com uma xícara de mel.

Para 8 a 10 pessoas

97. Torta de castanha-do-pará e café

Para a massa
3/4 de xícara de farinha de trigo peneirada
2 colheres (sopa) de manteiga em temperatura ambiente
2 colheres (sopa) de açúcar
2 gemas
200 g de castanhas-do-pará moídas

Para o recheio
1 xícara (grande) de café coado
8 colheres (sopa) de açúcar
1/2 colher (chá) de essência de baunilha
4 claras
60 g de castanha-do-pará em fatias e ligeiramente tostadas

Prepare a massa: amasse todos os ingredientes com as mãos. Abra a massa sobre uma superfície polvilhada com farinha de trigo. Forre o fundo e as laterais de uma fôrma de aro removível de 25 cm de diâmetro untada. Leve ao forno médio (180°C), preaquecido, por cerca de 10 minutos ou até ficar dourada.

Prepare o recheio: misture o café, o açúcar e a baunilha. Faça uma calda grossa com a consistência de mel. Bata as claras em neve. Adicione a calda aos poucos, sem parar de bater. Distribua as castanhas tostadas sobre a massa e cubra com o recheio. Leve ao forno médio (180°C), preaquecido, por 15 minutos.

Para 8 a 10 pessoas

Índice das receitas

Patês
Patê de fígado de galinha 28
Patê de fígado de vitela 28
Pâté en croûte 34

Saladas
Salada de agrião e laranja 16
Salada de endívia com salmão marinado 86
Salada de alface americana, abacate e kani 88
Salada verde com pato, brie e pignoli 90
Salada de rúcula, camarão e manga 101
Salada melangée de verdes com figos, bresaola e croûtons 118
Salada mediterrânea 133
Salpicão de maçã e salsão 134
Salada de espinafre com morango 145
Salada de lentilha com hortelã 146

Sopas
Consomê tia Adelaide 16
Sopa creme de agrião 17
Sopa de abóbora 93
Sopa de alho-poró 94
Sopa de milho com manteiga de camarão 95

Entradas
Panquecas de camembert 21
Pudim de macarrão 20
Terrine de lombo com pistache 29
Terrine Anette 30
Alcachofra gratinada 85
Brie quente com salada verde 93
Presunto de pato com picles de pêra 102
Folhado de brie e damasco 118
Salmão poché 122
Mousse de haddock 134
Rocambole de peito de peru com recheio de castanha e salsão 139
Terrine de foie gras 147

Massas
Macarrão em rodelas 20
Penne com champignon e alho-poró 54

Carnes
Boeuf bourguignon 18
Misto de peixe, camarão, lula, shitake e legumes grelhados 54
Haddock com molho de dill 56
Bife de atum com shitake 59
Salmão grelhado com vinho tinto 60
Camarão com molho de gruyère 60
Magret de pato com maçã sautée 63
Vitela recheada com damasco e alecrim 64
Jambonneau de frango com funghi 67
Carne-seca com quibebe 68
Kedgeree 106
Tian de filé-mignon com escarola e cenourinhas 121
Bacalhau espiritual 135
Bacalhau com nata 138
Pot pie de camarão 148

Acompanhamentos
Batatinhas sautées 56
Risoto de espinafre 62
Batata gratinada 65
Pão caseiro 100
Torta de cebola e bacon 103
Gâteau de batata e alho poró 120
Arroz egípcio 125
Arroz cajun 140

Sobremesas
Torta preguiçosa 22
Cheese cake 46
Torta americana 47
Torta de limão 49
Crème brulée 74
Sopa de morango 74
Peras com calda de chocolate 75
Apple crumble 77
Ambrosia 77
Pudim de damasco com crocante de amêndoas 78
Papo-de-anjo 79
Charlotte de damasco 107
Terrine de chocolate com amêndoas 108
Tarte tatin 111
Sorvete com farofa de pistache 111
Merengue de café 126
Torta de pêra 127
Zucotto de framboesa 141
Mangas marinadas com hortelã e cassis 141
Parfait de pêra e mel 150
Torta de castanha-do-pará e café 151

Bolos
Bolo de maçã 22
Bolo de cacau 40
Bolo de nozes 44
Bolo de amêndoas e damascos 143

Molhos
Molho tártaro 55
Molho de shoyu 59
Molho de gruyère 62
Molho rôti de vitela 65
Molho de creme de leite 85
Molho de mostarda 88
Molho de mostarda com dill 88
Molho de azeite e limão 88
Molho de mostarda de Dijon 90
Molho de maracujá 122
Molho de curry 122
Molho de agrião 122

Geléias e compotas
Compota de passas e cebolinha 32
Geléia de pimentão 35
Chutney de tomate 35
Picles de pêra 105
Compota de frutas secas 140